DYLANNA PRESS

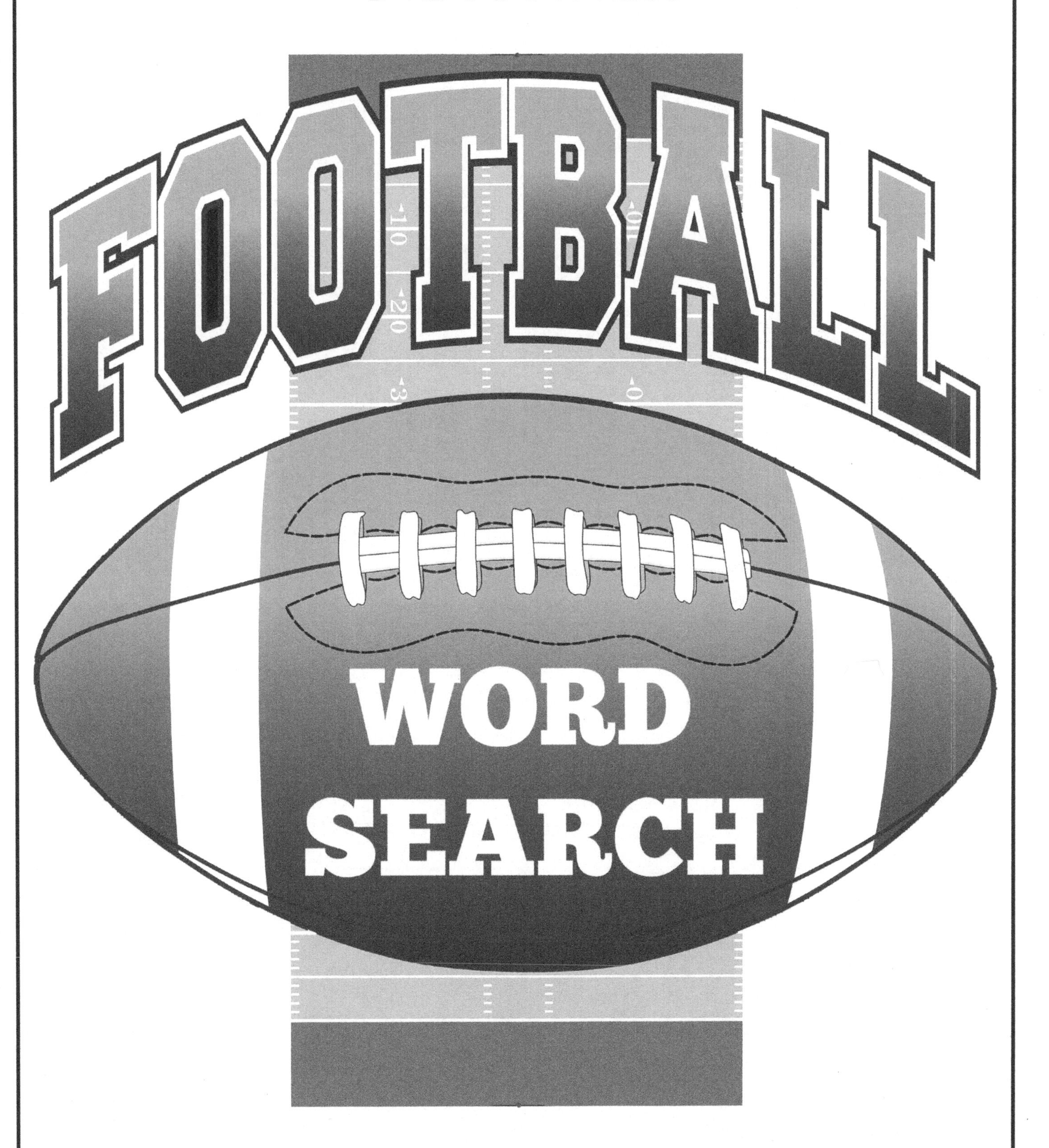

75 LARGE PRINT PUZZLES

Football Word Search Puzzles

This football-themed word search puzzle book will provides hours of fun and entertainment. Fans of the game will enjoy finding their favorite teams and players!

Solving the Puzzles

Words are hidden in the puzzle grids in straight lines forward, backward, up, down, or on the diagonal. Some words may overlap. Circle each word in the grid as you find it and cross it off the list.

This book contains 75 themed puzzles. Answers to all puzzles are printed in the back of the book.

Have fun!

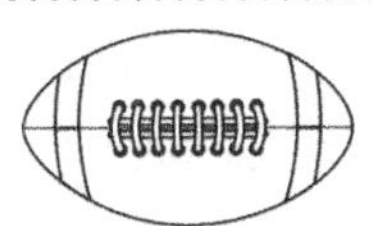

AFC Conference

C	J	H	R	A	V	E	N	S	F	S	N
H	E	S	L	A	G	N	E	B	S	N	W
I	T	S	F	E	I	H	C	P	N	A	Y
E	S	B	R	O	W	N	S	A	I	X	V
S	R	E	L	E	E	T	S	T	H	E	C
Z	S	T	S	C	J	S	E	R	P	T	B
S	I	N	O	R	R	H	F	I	L	U	R
U	L	L	A	E	A	V	S	O	O	C	O
V	T	L	D	T	Y	U	H	T	D	A	N
S	C	I	I	P	I	W	G	S	Z	T	C
M	A	Z	K	B	A	T	T	A	B	B	O
R	C	H	A	R	G	E	R	S	J	S	S

BENGALS
BILLS
BRONCOS
BROWNS
CHARGERS
CHIEFS
COLTS
DOLPHINS
JAGUARS
JETS
PATRIOTS
RAIDERS
RAVENS
STEELERS
TEXANS
TITANS

AFC Cities

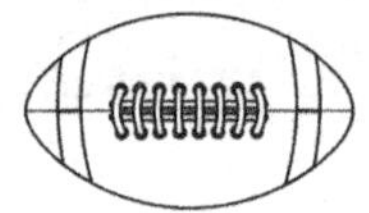

S	I	N	D	I	A	N	A	P	O	L	I	S	I
R	I	T	A	N	N	I	C	N	I	C	Y	Q	Y
E	E	K	R	D	S	D	M	H	L	U	P	L	D
L	L	P	A	C	N	I	G	A	T	I	P	N	R
O	Z	L	A	N	A	A	S	T	T	M	A	R	Z
S	D	F	I	M	S	V	L	T	I	L	A	E	E
A	N	H	I	V	E	A	S	E	G	T	O	V	E
N	E	C	O	G	N	B	S	N	V	L	W	N	S
G	W	D	A	U	U	O	E	C	A	E	F	E	S
E	Y	S	D	R	S	W	S	F	I	H	L	D	E
L	O	Q	G	B	E	T	F	K	K	T	O	C	N
E	R	H	A	N	F	U	O	T	C	O	Y	I	N
S	K	N	H	F	B	J	A	N	V	A	R	A	E
B	A	L	T	I	M	O	R	E	Y	W	J	G	T

BALTIMORE
BUFFALO
CINCINNATI
CLEVELAND
DENVER
HOUSTON
INDIANAPOLIS
JACKSONVILLE
KANSAS CITY
LAS VEGAS
LOS ANGELES
MIAMI
NEW ENGLAND
NEW YORK
PITTSBURGH
TENNESSEE

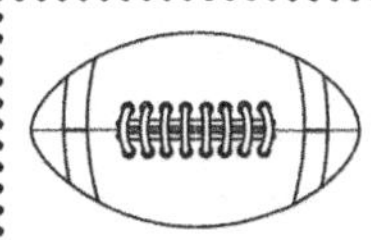

Cardinals

R	W	P	Z	I	M	S	D	X	V	Q	N	M	Y	V
R	E	E	D	K	U	Q	U	Q	J	O	N	E	S	D
J	H	D	P	P	R	H	C	G	S	L	X	B	L	B
D	Y	E	B	E	R	C	L	K	G	R	H	A	Q	V
F	R	Z	A	T	A	R	A	J	Y	S	R	C	X	C
B	X	G	V	E	Y	A	Y	I	O	E	J	K	U	I
I	D	T	R	R	I	K	H	K	G	H	R	A	V	J
S	G	Q	J	S	F	O	I	Z	B	I	N	C	R	Y
A	S	S	X	O	O	S	T	N	K	D	D	S	E	U
B	Y	L	N	N	J	I	G	L	G	A	A	L	O	E
E	L	Y	S	E	F	R	O	U	U	S	P	O	K	N
L	C	A	R	D	I	N	A	L	S	I	B	A	Y	Z
L	N	G	R	Q	Q	W	Y	S	H	D	R	U	H	C
A	K	V	F	H	X	J	K	S	Q	D	N	M	R	K
O	N	Q	O	H	A	A	R	I	Z	O	N	A	L	Y

ARIZONA
CARDINALS
CLAY
DRAKE
FITZGERALD
ISABELLA
JOHNSON
JONES
KINGSBURY
KIRK
MURRAY
PETERSON
REED
SHIPLEY
SUGGS

Falcons

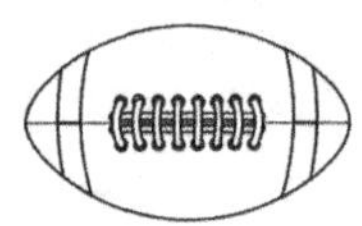

E	D	V	Z	Q	Z	P	K	P	W	U	C	X	M	T
E	Z	T	V	F	R	E	E	M	A	N	K	J	A	R
M	A	H	Q	Y	N	K	N	M	K	D	B	D	T	I
G	L	O	A	T	L	A	N	T	A	O	C	V	T	D
I	W	O	I	Q	E	R	V	N	T	O	W	N	H	L
G	B	P	L	Y	B	E	U	N	K	G	N	Z	E	E
Y	I	E	W	N	N	Z	A	E	A	I	J	F	W	Y
B	E	R	A	H	U	F	E	D	U	Y	O	S	S	H
D	N	J	A	S	U	S	J	Q	L	J	N	S	B	Z
H	R	S	A	R	L	E	M	K	Y	O	E	D	Z	O
C	X	Y	T	R	H	E	P	I	C	S	S	K	V	S
T	G	A	A	K	R	F	Y	L	T	W	Y	Q	O	F
S	O	C	C	N	Q	E	A	T	K	H	P	G	F	R
L	Q	A	K	R	N	F	T	Y	Y	B	B	W	W	N
N	M	A	J	U	L	I	O	T	G	O	C	Z	D	C

ATLANTA
BEASLEY
FALCONS
FREEMAN
HOOPER
JARRETT
JONES
JULIO
MACK
MATTHEWS
QUINN
RIDLEY
RYAN
SMITH
TRUFANT

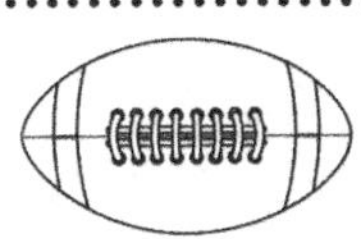

Ravens

Q	P	I	E	R	C	E	C	Q	G	B	B	S	P	I
A	I	C	F	J	L	B	A	L	W	H	W	D	S	E
R	T	E	T	B	R	X	A	P	I	E	H	F	Q	R
K	P	L	U	I	X	C	N	L	R	V	A	N	A	H
O	T	W	C	U	N	U	W	D	T	D	Y	M	X	J
D	B	H	K	D	L	G	N	M	N	I	A	U	X	U
M	B	A	E	P	V	A	R	A	T	L	M	N	Q	W
Z	Q	R	R	E	B	P	Y	A	F	H	O	O	Z	C
K	G	B	E	T	A	R	Y	X	M	S	O	J	R	T
I	O	A	L	E	W	A	R	G	K	K	I	M	Z	E
B	T	U	Q	R	Q	F	Q	C	Q	J	B	W	A	R
R	H	G	N	S	S	R	A	V	E	N	S	H	O	S
O	G	H	S	H	I	J	H	U	M	P	H	R	E	Y
W	H	J	S	M	I	T	H	Z	Q	G	K	I	R	E
N	W	V	E	J	U	Z	X	J	A	U	V	I	A	Q

ANDREWS
BALTIMORE
BROWN
HARBAUGH
HUMPHREY
INGRAM
JACKSON
LAMAR
PETERS
PIERCE
RAVENS
SMITH
THOMAS
TUCKER
YANDA

Bills

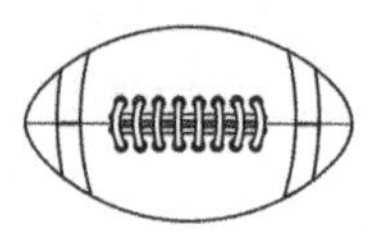

Q	W	A	L	E	X	A	N	D	E	R	Z	O	F	P
W	H	I	T	E	P	Q	B	E	A	S	L	E	Y	P
Q	D	F	L	P	Y	U	T	Q	M	W	F	Q	X	I
V	V	C	Y	A	H	Y	S	F	H	J	R	A	H	Y
Z	G	G	U	X	W	E	F	M	J	S	D	W	R	L
M	Q	W	N	O	H	S	M	Z	N	V	Z	A	I	V
C	U	O	L	G	F	O	O	H	U	Z	T	Q	U	B
D	U	B	U	B	M	N	D	N	B	E	Q	S	F	I
E	X	H	Q	U	Y	X	R	I	L	R	D	L	W	P
R	Q	G	V	F	F	N	O	G	M	N	O	W	O	O
M	G	O	J	F	U	Z	N	S	E	A	Q	W	R	Y
O	N	R	J	A	Q	I	L	L	R	O	R	C	N	E
T	D	E	S	L	S	L	L	L	T	H	G	C	C	R
T	M	R	G	O	I	A	H	T	Z	Y	Y	I	O	B
E	K	F	X	B	H	Y	D	E	W	B	D	A	J	G

ALEXANDER
ALLEN
BEASLEY
BILLS
BROWN
BUFFALO
DIMARCO
GORE
HUGHES
HYDE
LAWSON
MCDERMOTT
POYER
SINGLETARY
WHITE

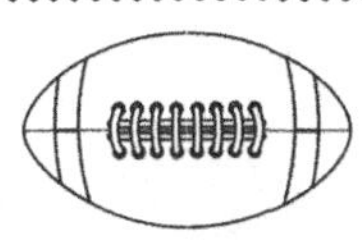

Panthers

K	F	A	F	U	M	L	W	N	L	M	A	B	R	S
N	F	J	S	R	W	C	E	O	C	H	C	G	F	L
P	P	J	O	V	Y	L	A	Y	C	A	M	C	U	D
U	A	H	C	H	L	L	L	R	K	D	O	D	O	R
A	N	E	H	A	N	H	W	J	O	K	M	U	S	Y
G	T	Z	G	U	C	S	Y	J	K	L	H	G	B	U
G	H	Z	N	E	W	T	O	N	G	H	I	D	V	W
I	E	J	U	C	G	A	G	N	Q	S	I	N	L	C
A	R	K	M	C	C	A	F	F	R	E	Y	S	A	W
M	S	J	P	T	N	N	A	F	T	U	R	A	S	L
V	O	U	J	O	K	R	O	X	T	Y	E	M	A	A
W	T	O	T	K	E	P	L	J	L	E	I	U	G	Q
G	I	S	R	V	L	F	S	T	T	I	Y	E	O	I
Y	O	O	I	E	I	Q	E	I	N	I	S	L	Q	E
B	C	R	Q	D	D	M	N	H	S	H	O	R	T	K

ALLEN
BOSTON
CAM
CAROLINA
JOHNSON
KUECHLY
MCCAFFREY
MCCOY

MOORE
NEWTON
OLSEN
PANTHERS
RIVERA
SAMUEL
SHORT

Bears

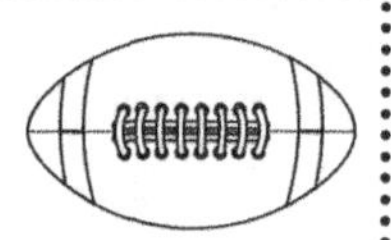

V	Y	R	W	P	C	H	I	C	A	G	O	L	A	J
Y	N	A	T	O	M	F	N	W	N	D	Y	W	N	R
G	U	E	N	I	V	E	Z	N	C	R	M	L	B	O
A	M	G	Z	G	X	K	Y	P	E	S	E	R	F	B
X	E	A	Q	E	O	R	F	M	E	I	T	B	S	I
P	C	M	A	C	K	L	O	F	R	Y	E	H	J	N
K	Z	L	C	V	Z	G	D	B	L	Q	M	O	P	S
J	B	P	I	O	T	R	A	M	N	F	L	U	S	O
M	L	Z	H	N	H	G	Z	N	A	K	J	R	F	N
C	W	N	O	L	T	E	U	B	G	N	A	N	U	J
N	H	M	X	J	E	O	N	U	Y	E	C	J	L	O
S	Q	J	K	N	B	N	N	M	B	K	K	R	L	U
T	L	R	B	W	A	X	O	D	C	W	S	W	E	N
M	E	C	H	I	C	K	S	J	I	J	O	E	R	Y
Y	T	R	U	B	I	S	K	Y	B	X	N	F	S	H

BEARS
CHICAGO
CLINTON DIX
COHEN
FULLER
GABRIEL
GOLDMAN
HICKS
JACKSON
LENO
MACK
MONTGOMERY
NAGY
ROBINSON
TRUBISKY

Bengals

C	M	V	B	P	X	E	M	W	A	W	E	J	Q	L
V	F	M	G	B	E	N	G	A	L	S	Y	C	C	R
S	M	W	A	E	F	F	L	A	W	S	O	N	G	B
N	I	T	E	K	E	I	Z	X	Z	U	Q	Y	E	K
R	O	M	V	I	N	N	G	Q	A	T	K	I	N	S
S	U	K	I	O	F	L	K	K	R	Y	H	I	S	Y
Y	D	Z	T	X	O	E	F	M	L	Y	T	D	B	H
M	Q	L	O	K	O	Y	R	K	Q	A	B	U	X	T
E	A	F	B	M	R	N	B	T	N	R	E	N	R	F
D	F	S	O	S	A	N	E	N	O	M	R	L	V	D
T	S	T	Y	A	E	H	I	L	U	A	N	A	G	Y
W	X	G	D	E	G	C	Y	X	U	P	A	P	Q	P
J	Z	T	R	Y	N	A	I	O	P	T	R	J	Y	A
I	U	G	Q	I	T	G	A	H	E	W	D	I	M	M
S	X	K	C	Z	S	B	T	A	T	E	P	B	A	K

ATKINS
BENGALS
BERNARD
BOYD
CINCINNATI
DALTON
DUNLAP
EIFERT
FINLEY
GREEN
LAWSON
MIXON
TATE
TAYLOR
UZOMAH

Browns

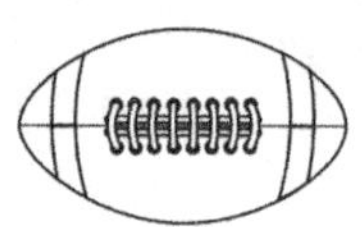

W	K	J	C	E	B	H	N	Z	L	S	V	S	K	P
R	A	N	D	A	L	L	W	P	Y	C	C	P	L	R
K	L	N	Y	O	T	N	J	O	K	U	H	X	A	X
C	I	A	W	N	W	Q	W	K	P	G	U	M	N	S
M	J	T	U	O	M	J	V	I	K	S	B	A	D	C
E	V	T	C	K	U	S	V	Q	T	K	B	Y	R	B
B	R	I	C	H	A	R	D	S	O	N	D	F	Y	B
C	R	N	N	L	E	A	J	G	C	N	H	I	Z	E
Q	Z	O	Z	C	N	N	C	Q	A	O	X	E	Q	C
B	D	C	W	O	L	V	S	L	I	R	M	L	F	K
U	K	N	N	N	Z	D	E	N	U	Z	R	D	L	H
A	V	R	Y	K	S	V	O	G	A	E	D	E	T	A
P	E	N	K	X	E	T	D	R	E	P	E	N	T	M
V	D	V	I	L	I	Q	X	E	Y	S	U	Y	I	T
N	O	T	C	B	U	K	Q	X	W	H	W	A	R	D

BECKHAM
BITONIO
BROWNS
CHUBB
CLEVELAND
GARRETT
HUNT
KITCHENS
LANDRY
MAYFIELD
NJOKU
RANDALL
RICHARDSON
VERNON
WARD

Cowboys

W	I	T	T	E	N	S	Z	C	S	M	I	T	H	Q
S	B	C	C	M	V	M	X	N	O	Q	A	T	K	O
Y	B	H	M	F	K	I	X	Y	L	W	X	R	R	F
H	A	A	M	A	R	T	I	N	T	M	B	O	N	K
P	B	O	X	P	X	N	X	W	R	K	U	O	I	J
D	R	Q	V	A	N	D	E	R	E	S	C	H	Y	G
A	E	E	S	Y	W	C	W	H	E	F	F	D	M	S
L	L	M	S	G	V	W	O	C	I	R	F	Q	F	Q
L	L	G	N	C	M	M	N	O	W	E	E	T	F	A
A	I	O	D	L	O	E	B	P	P	D	T	J	D	S
S	O	D	R	A	R	T	U	C	V	E	S	O	K	O
R	T	Z	V	W	K	L	T	F	R	R	R	N	J	Q
H	T	L	A	Q	L	Q	I	R	E	I	L	E	O	M
D	R	L	Y	A	A	J	A	B	D	C	M	S	A	B
R	I	V	G	H	A	G	M	X	M	K	P	G	Z	F

COOPER
COWBOYS
DAK
DALLAS
ELLIOTT
FREDERICK
GALLUP
GARRETT
JONES
LAWRENCE
MARTIN
PRESCOTT
SMITH
VANDER ESCH
WITTEN

Broncos

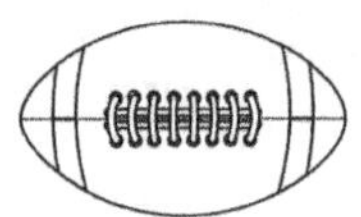

G	O	C	A	O	C	A	Z	R	F	Q	B	P	Q	I
H	W	A	L	J	A	T	T	O	I	V	K	S	A	B
L	Y	L	L	J	G	Y	I	T	D	Z	Q	Q	U	M
H	J	L	E	P	Z	G	S	J	A	E	L	Y	P	R
A	J	A	N	P	N	O	T	A	W	O	N	B	L	N
R	A	H	L	A	C	S	P	C	U	C	C	V	L	E
R	A	A	F	N	U	B	B	K	V	T	E	H	E	J
I	G	N	O	N	A	C	I	S	M	C	N	K	U	R
S	J	R	A	J	F	T	F	O	F	L	A	C	C	O
F	B	M	T	Q	F	R	L	N	Z	R	S	B	T	Y
P	C	D	Y	X	L	L	E	M	I	L	L	E	R	J
M	P	F	P	T	C	E	X	E	H	U	K	K	B	W
W	O	L	F	E	C	X	A	Z	M	J	F	J	J	F
L	C	B	O	O	T	S	Q	R	C	A	A	B	O	K
Q	J	L	I	N	D	S	A	Y	Y	B	N	F	Z	J

ALLEN
ATTAOCHU
BRONCOS
CALLAHAN
DENVER
FANGIO
FLACCO
FREEMAN
HARRIS
JACKSON
LEARY
LINDSAY
MCMANUS
MILLER
WOLFE

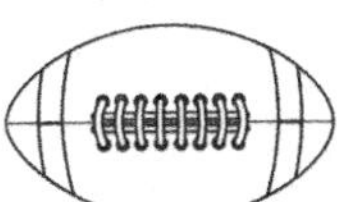

Lions

A	R	I	D	A	N	I	E	L	S	X	V	T	X	H
M	C	E	H	P	S	R	T	R	X	C	A	C	C	W
E	B	H	A	R	R	I	S	O	N	F	S	W	V	I
N	Z	N	C	Y	M	Q	E	I	D	V	T	Z	N	L
D	Q	S	D	W	J	C	U	I	M	O	A	B	V	S
O	K	T	I	D	Y	W	S	K	Q	S	F	U	E	O
L	R	H	M	Y	E	R	J	A	T	W	F	Q	S	N
A	Q	O	A	M	E	T	I	O	Y	R	O	G	D	W
U	J	L	B	W	H	C	R	A	H	K	R	V	U	T
G	S	O	O	I	I	M	D	O	M	N	D	S	Y	X
X	U	L	N	R	N	A	R	X	I	R	S	A	F	R
K	F	L	T	E	L	S	R	L	X	T	G	O	P	T
N	N	A	M	L	S	K	O	E	B	U	R	R	N	D
Q	P	Q	O	I	O	A	P	N	L	I	O	N	S	G
A	J	G	X	S	H	O	C	K	E	N	S	O	N	M

AMENDOLA
DANIELS
DETROIT
FLOWERS
GOLLADAY
HARRISON
HOCKENSON
JOHNSON
JONES
LIONS
PATRICIA
ROBINSON
SLAY
STAFFORD
WILSON

Defense

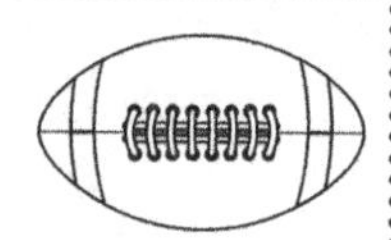

R	E	K	C	A	B	E	N	I	L	I	Q
K	A	X	B	H	D	E	F	E	N	S	E
X	G	F	B	S	R	E	Y	A	L	P	L
C	O	R	N	E	R	B	A	C	K	E	I
C	M	E	L	D	D	I	M	L	L	H	N
Y	T	E	F	A	S	E	E	R	F	P	E
S	T	R	O	N	G	S	A	F	E	T	Y
U	Q	L	D	U	X	J	I	Y	F	R	R
V	Z	F	I	N	S	I	D	E	N	V	Z
T	A	C	K	L	E	S	U	E	N	D	S
J	N	Q	Q	Z	E	D	I	S	T	U	O

CORNERBACK
DEFENSE
ENDS
FREE SAFETY
INSIDE
LINE
LINEBACKER
MIDDLE
OUTSIDE
PLAYERS
STRONG SAFETY
TACKLES

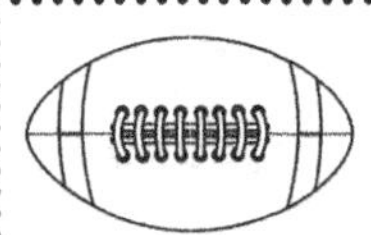

Terminology

B	P	B	O	K	X	I	P	Y	H	J	K	J	J	X
U	K	E	U	O	A	M	P	R	O	B	O	W	L	T
O	L	B	L	U	N	X	G	L	N	I	C	K	E	L
Y	Y	H	E	S	Z	S	T	Z	Y	G	Z	S	J	N
W	Y	G	K	S	N	D	I	G	B	F	I	J	B	R
G	V	R	Y	F	I	E	L	D	G	O	A	L	N	G
H	E	O	T	J	I	Q	A	T	E	M	A	W	C	D
U	P	U	S	Y	Y	V	E	K	A	K	O	K	Z	M
D	R	N	A	I	L	K	R	K	F	D	I	Z	M	E
D	E	D	C	X	C	A	L	P	T	U	U	C	N	U
L	V	I	K	O	C	V	T	S	X	R	M	O	K	X
E	E	N	P	W	Q	P	R	E	H	E	Z	B	E	P
Z	N	G	S	P	H	I	Q	R	R	D	K	M	L	L
W	T	M	Q	G	F	Z	E	G	E	A	I	A	R	E
W	G	A	Z	A	K	L	H	R	N	D	L	Z	M	X

DIME
FIELD GOAL
FIRST DOWN
FUMBLE
GROUNDING
HUDDLE
LATERAL
NICKEL

ONSIDE KICK
POCKET
PREVENT
PRO BOWL
RED ZONE
SACK
SNEAK

Packers

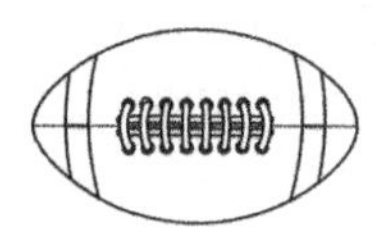

Y	I	Q	Q	D	O	F	C	L	C	P	Z	A	G	Q
G	Y	E	B	U	L	A	G	A	A	R	P	C	R	Z
J	R	G	R	A	H	A	M	E	G	F	O	Y	G	D
O	B	E	S	P	S	C	L	A	R	K	L	S	N	R
N	A	B	E	A	Q	G	H	S	D	W	E	E	B	K
E	K	S	A	N	M	R	O	D	G	E	R	S	U	Y
S	H	V	P	S	B	O	J	S	I	D	O	Z	R	R
E	T	G	A	A	U	A	S	H	K	N	H	E	M	G
B	I	H	C	R	D	S	Y	J	Z	T	D	G	C	N
X	A	H	K	V	W	I	S	G	I	N	N	D	O	W
M	R	F	E	T	C	M	Y	M	A	M	R	S	W	T
O	I	J	R	M	A	Y	S	X	A	U	I	T	C	E
J	U	A	S	D	C	H	E	Q	R	L	O	R	I	F
R	M	X	A	R	R	L	Y	K	L	S	C	Q	Z	L
S	F	K	L	P	A	V	Y	A	G	C	T	I	W	D

ADAMS
ALEXANDER
ALLISON
AMOS
BAKHTIARI
BULAGA
CLARK
CROSBY
GRAHAM
GREEN BAY
JONES
LAFLEUR
PACKERS
RODGERS
SMITH

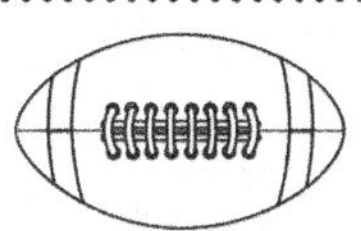

Hall of Fame 1998-2000

M	E	S	O	V	Z	J	V	C	O	W	R	A	P	R
D	O	I	S	H	N	D	Y	W	D	T	O	U	Z	U
X	R	N	Z	T	O	A	G	E	T	S	O	M	T	G
W	P	G	T	W	E	D	H	O	F	W	N	A	F	V
I	K	L	O	A	U	P	L	I	K	G	E	N	N	B
L	X	E	L	O	N	G	H	E	E	G	Y	O	H	I
C	R	T	Z	O	G	A	M	E	D	F	S	V	Q	I
O	K	A	F	S	S	O	Z	S	N	R	M	R	B	G
X	I	R	R	S	S	O	I	K	E	S	M	W	K	C
C	C	Y	A	W	N	G	L	K	Q	L	O	A	D	I
E	B	E	E	U	R	H	C	Y	M	E	F	N	C	T
M	P	N	M	H	S	I	T	A	Y	L	O	R	C	K
M	V	K	P	Y	D	E	H	A	N	V	K	G	E	E
C	I	M	C	D	O	N	A	L	D	L	O	N	A	F
X	K	A	S	I	S	H	A	W	E	T	U	O	I	E

DICKERSON
KRAUSE
LONG
LOTT
MACK
MCDONALD
MONTANA
MUNOZ
NEWSOME
ROONEY
SHAW
SINGLETARY
STEPHENSON
TAYLOR
WILCOX

Hall of Fame 2001-2003

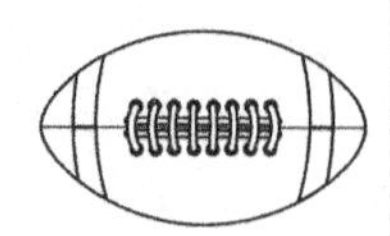

G	P	Z	K	W	Q	X	M	V	Y	A	R	Y	X	T
D	D	Z	F	W	C	A	S	P	E	R	I	B	P	N
E	D	E	N	T	Z	O	K	D	L	T	T	P	E	P
S	P	C	L	I	Q	K	N	F	N	N	I	M	X	M
B	W	G	X	A	H	W	G	O	P	D	M	U	E	S
E	U	A	G	W	M	A	C	X	J	P	E	N	J	T
T	W	Z	N	W	C	I	M	J	E	Y	H	C	W	A
H	D	D	L	N	N	S	E	P	L	J	N	H	J	L
E	F	R	J	O	R	K	R	L	T	E	S	A	K	L
A	T	K	U	M	Z	E	E	T	L	O	O	K	A	W
O	V	B	W	G	T	K	P	L	Z	E	N	M	R	O
L	Q	O	X	A	T	C	A	A	S	Z	U	M	F	R
E	H	H	L	L	O	F	T	O	N	D	A	R	G	T
V	S	S	L	X	Q	M	P	C	I	F	F	U	E	H
Y	Z	V	Q	D	Y	O	U	N	G	B	L	O	O	D

ALLEN
BETHEA
BUONICONTI
CASPER
DELAMIELLEURE
HAMPTON
KELLY
LEVY
LOFTON
MUNCHAK
SLATER
STALLWORTH
SWANN
YARY
YOUNGBLOOD

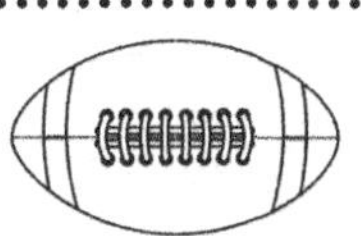

Hall of Fame 2003-2006

A	L	Q	T	U	N	I	S	E	P	Y	X	O	X	D
L	I	N	F	E	X	F	H	T	E	Q	L	O	U	C
J	K	K	D	N	H	W	S	H	M	O	R	E	D	O
Y	B	D	M	M	P	N	A	L	O	F	T	O	N	Z
Z	A	F	R	A	Z	W	N	S	T	R	A	M	A	E
M	W	L	R	Q	N	C	D	O	D	E	J	E	G	L
K	W	C	B	I	R	B	E	H	W	Y	T	A	X	W
X	D	A	D	D	E	V	R	B	D	I	O	O	K	A
D	M	R	V	A	U	D	S	O	H	T	N	U	X	Y
O	G	S	M	O	O	N	M	W	W	I	U	D	N	K
W	P	O	L	L	A	R	D	A	R	N	E	Z	D	G
Z	R	N	H	H	B	J	I	A	N	O	L	T	K	O
C	H	K	S	V	P	Q	M	M	V	D	L	H	J	T
W	B	Z	Q	V	O	J	J	U	M	O	E	Q	R	M
H	M	T	M	S	L	C	K	D	U	F	R	B	B	G

AIKMAN
BROWN
CARSON
ELLER
ELWAY
FRIEDMAN
LOFTON
MADDEN
MARINO
MOON
POLLARD
SANDERS
STRAM
WHITE
YOUNG

Hall of Fame 2006-2009

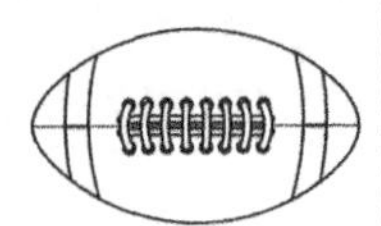

M	O	N	K	Z	O	Z	R	D	M	I	R	V	I	N
Z	Y	Y	S	D	I	Z	S	W	R	I	G	H	T	M
K	F	U	W	A	V	M	W	M	C	E	R	L	M	P
N	H	T	S	L	N	L	M	S	I	A	Y	A	A	S
Y	Y	P	F	G	P	D	H	E	A	T	P	F	T	F
B	C	O	E	R	J	G	E	B	R	L	H	T	T	Y
J	M	V	A	E	P	M	O	R	E	M	T	G	H	X
Q	F	P	X	E	R	N	T	I	S	E	A	H	E	C
M	P	G	M	N	O	E	N	W	P	H	U	N	W	W
G	H	U	D	S	B	A	L	P	C	M	T	M	S	E
A	W	L	E	E	D	T	I	M	P	L	H	I	I	H
S	I	Y	I	C	A	T	N	V	W	P	O	K	M	R
J	A	R	M	R	G	N	Z	F	B	H	M	M	A	L
H	U	I	A	L	T	D	Y	Z	A	I	A	A	M	I
O	B	H	I	C	K	E	R	S	O	N	S	I	D	O

DEAN
GREEN
HAYES
HICKERSON
IRVIN
MATTHEWS
MCDANIEL
MONK
SANDERS
SMITH
THOMAS
TIPPETT
WEHRLI
WRIGHT
ZIMMERMAN

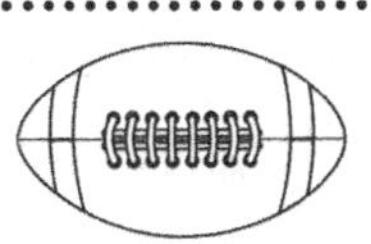

Hall of Fame 2009-11

Y	O	R	R	I	C	H	T	E	R	Y	N	C	B	E
I	L	I	C	G	R	I	M	M	P	H	Q	M	L	L
Q	I	C	G	H	K	Q	R	I	D	H	B	D	R	O
W	T	E	C	A	Q	R	Z	N	S	F	N	J	F	Q
M	T	M	V	N	Q	A	Z	A	L	A	N	Y	X	J
R	L	Q	M	B	I	Y	S	G	R	O	S	Y	O	M
U	E	U	Z	U	L	E	B	A	S	F	A	U	L	K
M	X	C	Q	R	J	G	J	L	N	U	G	A	Y	G
N	R	P	V	G	A	H	I	A	N	D	V	Y	H	E
S	L	V	U	E	Q	W	I	B	C	D	E	T	G	R
A	F	E	P	R	D	D	O	I	Y	K	I	R	T	F
B	N	I	B	R	I	T	S	X	H	M	S	F	S	B
O	W	J	K	E	N	M	Z	J	S	U	O	O	N	W
L	H	Y	D	E	A	L	S	Q	G	F	K	O	N	E
T	K	M	D	O	B	U	C	W	O	O	D	S	O	N

DENT
FAULK
GRIMM
HANBURGER
JACKSON
LEBEAU
LITTLE
RANDLE
RICE
RICHTER
SABOL
SANDERS
SMITH
WILSON JR
WOODSON

Hall of Fame 2011-2014

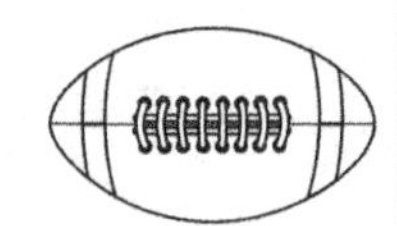

K	N	E	B	Z	H	Z	B	R	O	O	K	S	T	Z
E	R	X	Y	K	G	C	A	D	A	W	S	O	N	B
N	Q	S	I	P	A	R	C	E	L	L	S	C	C	D
N	L	U	T	R	K	P	A	R	B	S	J	A	T	N
E	R	O	D	Y	Y	P	Y	L	J	O	I	R	I	Z
D	E	G	K	F	G	B	I	N	L	G	P	T	C	C
Y	T	D	Q	S	D	I	O	D	Z	E	R	E	U	Y
C	V	E	S	R	N	S	V	R	O	A	N	R	L	A
Z	Z	N	U	J	N	X	Q	T	M	L	V	G	P	H
V	K	C	S	I	E	F	D	R	O	Y	E	P	V	G
B	X	M	B	H	Q	P	E	S	A	P	P	M	I	H
T	L	O	I	G	A	L	H	R	C	P	K	E	A	Q
U	R	U	A	O	T	R	O	F	O	V	L	S	M	N
R	O	O	O	U	A	F	P	H	X	A	Q	H	U	N
Q	B	Q	B	H	C	P	S	E	Z	W	F	B	X	V

ALLEN
BROOKS
BUTLER
CARTER
CULP
DAWSON
DOLEMAN
KENNEDY
MARTIN
OGDEN
PARCELLS
ROAF
ROBINSON
SAPP
SHARPE

Hall of Fame 2014-2016

O	D	K	E	B	W	I	S	E	G	U	Y	F	N	J
W	U	E	H	U	M	P	H	R	E	Y	F	T	J	A
I	L	T	B	D	F	Z	L	S	H	O	S	O	T	S
L	D	Y	I	A	U	H	D	H	H	W	O	L	F	D
L	H	K	W	D	R	L	S	L	A	L	W	I	Q	W
I	Z	Y	C	N	E	T	E	T	L	L	N	B	L	J
A	R	R	C	I	Y	G	O	U	R	W	E	U	G	O
M	R	E	H	D	N	E	A	L	O	A	F	Y	I	N
S	E	S	E	I	O	E	V	R	O	R	H	I	J	E
I	I	S	T	D	S	V	B	B	P	J	G	A	T	S
T	O	H	B	E	T	T	I	S	O	X	R	Y	N	E
T	I	I	Q	Z	O	A	V	W	L	Q	K	M	K	J
A	N	O	W	B	N	D	U	S	I	Z	Z	J	I	B
U	Z	T	P	U	G	P	I	P	A	F	X	C	U	R
B	N	G	P	E	R	P	V	E	N	J	G	C	E	M

BETTIS
BROWN
DEBARTOLO JR
GUY
HALEY
HUMPHREY
JONES
POLIAN
REED
SEAU
SHIELDS
STRAHAN
TINGELHOFF
WILLIAMS
WOLF

Hall of Fame 2016-2018

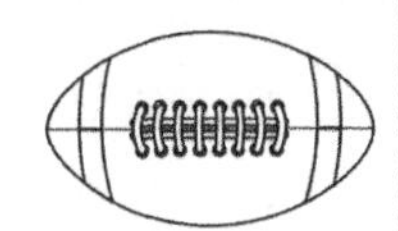

J	D	F	A	V	R	E	X	S	D	P	R	D	R	T
U	L	O	E	X	S	N	Y	E	A	W	D	S	A	Z
F	R	K	Y	N	U	L	H	C	I	R	Z	H	D	P
L	B	D	O	T	G	V	M	A	A	C	Q	P	U	E
A	N	D	E	R	S	O	N	H	R	X	R	Y	N	A
P	A	C	E	S	A	M	T	G	D	R	S	O	G	S
S	F	B	I	X	G	A	F	T	R	G	I	A	Y	L
T	T	V	Z	S	E	R	N	O	S	E	G	S	O	E
S	A	A	E	B	O	J	O	M	T	G	E	L	O	Y
D	H	N	B	L	Q	U	N	L	A	C	H	N	S	N
V	O	S	Y	L	K	L	Q	I	N	N	V	R	E	R
J	V	A	B	M	E	X	I	N	F	J	B	J	N	K
V	T	S	J	O	E	R	J	S	E	V	D	R	X	D
G	D	A	N	F	S	K	C	O	L	W	C	X	C	N
B	W	A	R	N	E	R	D	N	T	F	N	P	B	G

ANDERSON
BEATHARD
DAVIS
DUNGY
EASLEY
FAVRE
GREENE
HARRISON
JONES
PACE
STABLER
STANFEL
TAYLOR
TOMLINSON
WARNER

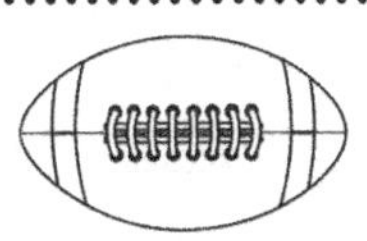

Hall of Fame 2018-2019

D	J	E	O	T	O	R	E	E	D	I	L	O	C	Z
A	U	T	W	M	J	B	A	I	L	E	Y	R	J	T
W	Q	Z	E	O	R	M	Z	E	L	Y	T	H	S	A
K	G	C	N	S	N	Q	P	J	B	R	A	N	D	T
I	V	Q	S	S	M	B	E	X	B	J	K	P	V	F
N	R	O	B	I	N	S	O	N	Z	O	E	D	Z	F
S	U	I	H	S	H	A	R	S	B	E	W	E	G	A
V	J	R	I	V	I	E	U	M	R	Y	L	L	W	J
W	C	W	L	U	M	J	N	O	A	A	Q	A	E	I
K	E	U	N	A	D	J	E	L	Z	S	L	O	T	N
L	O	M	R	U	C	Y	K	N	I	M	V	S	N	R
D	B	K	M	K	A	H	O	O	L	B	A	R	X	X
I	A	K	X	B	E	G	E	A	E	W	B	W	V	Q
A	D	T	G	P	G	A	S	R	F	P	Q	K	A	T
W	K	W	Y	J	J	Q	Z	K	O	Q	X	B	C	E

BAILEY
BOWLEN
BRANDT
BRAZILE
DAWKINS
GONZALEZ
KRAMER
LAW

LEWIS
MAWAE
MOSS
OWENS
REED
ROBINSON
URLACHER

Hall of Fame 1982-1985

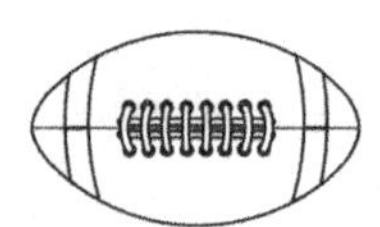

S	N	V	F	C	G	I	L	L	M	A	N	C	F	O
T	X	A	X	I	M	Q	L	B	T	B	E	Y	F	V
A	Z	J	M	X	L	L	W	T	V	G	R	D	T	F
U	W	X	B	A	E	L	J	A	M	C	P	O	L	E
B	F	A	Y	H	T	Z	U	Y	R	K	A	I	W	N
A	W	L	C	V	A	H	R	L	U	F	J	U	T	N
C	A	T	K	I	N	S	G	O	F	H	I	X	T	K
H	I	S	O	A	E	D	E	R	N	O	J	E	C	O
M	V	A	I	T	Y	C	N	Q	E	A	J	A	L	I
W	E	I	N	M	E	I	S	T	E	R	M	K	K	D
N	G	N	N	T	P	K	O	J	B	R	I	S	S	H
K	C	A	V	B	I	S	N	F	O	P	T	V	Y	A
P	E	R	H	E	L	Q	O	C	Y	A	U	R	E	P
T	N	X	W	L	E	J	C	N	G	Z	L	D	L	M
L	Q	S	C	L	L	M	O	L	S	E	N	D	Q	W

ATKINS
BELL
BROWN
GATSKI
GILLMAN
JURGENSON
MCCORMACK
MITCHELL
NAMATH
OLSEN
SIMPSON
STAUBACH
TAYLOR
WARFIELD
WEINMEISTER

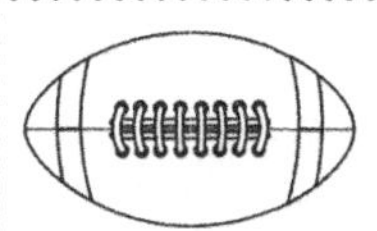

Hall of Fame 1986-1988

K	E	M	Z	I	C	E	H	M	F	N	R	Y	L	Y
Y	X	Z	A	J	D	N	C	U	O	P	U	E	U	N
U	M	I	C	Y	C	K	V	S	D	Y	G	E	O	L
G	Q	H	F	T	N	W	W	W	O	A	H	T	J	G
T	C	I	S	W	P	A	A	A	P	N	N	N	O	R
A	B	G	R	T	D	H	R	L	Q	E	K	X	H	E
K	H	T	U	J	S	X	U	D	K	E	D	A	N	E
P	O	X	H	P	W	I	O	R	L	E	F	I	S	N
J	U	D	U	A	E	D	A	F	E	X	R	I	O	E
W	S	B	Y	A	M	T	G	Z	B	L	U	B	N	K
S	T	B	I	L	E	T	N	I	K	O	F	F	B	W
U	O	U	D	I	T	K	A	F	L	Q	L	Z	O	Q
W	N	Q	N	W	G	H	C	T	V	Q	Z	V	H	S
P	U	J	P	X	S	A	Y	Z	L	A	N	G	E	R
Q	Y	U	H	C	L	A	N	I	E	R	U	Y	Y	Z

BILETNIKOFF
CSONKA
DAWSON
DITKA
GREENE
HAM
HOUSTON
JOHNSON
LANGER
LANIER
MAYNARD
PAGE
TARKENTON
UPSHAW
WALKER

Hall of Fame 1989-1991

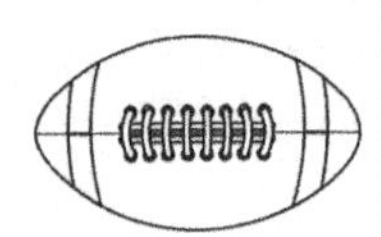

B	W	M	I	E	N	J	O	N	E	S	E	P	S	F
W	R	R	A	L	J	L	S	G	J	S	C	K	L	S
B	O	A	Z	O	I	W	Q	C	E	C	C	W	A	B
N	L	O	D	M	Z	T	Z	I	H	I	Z	M	N	D
T	K	O	D	S	R	X	R	Z	R	R	W	S	D	S
O	Y	C	U	E	H	G	K	D	A	L	A	M	R	H
Z	Y	S	B	N	D	A	N	W	V	C	B	M	Y	A
O	W	M	E	U	T	E	W	G	F	L	U	L	M	N
U	A	P	I	M	H	O	X	Q	Z	A	C	S	G	N
L	F	O	A	A	T	F	A	O	L	I	H	V	G	A
O	C	A	M	P	B	E	L	L	W	R	A	H	C	H
V	I	S	H	E	L	L	Z	N	Z	R	N	A	D	P
Q	O	X	T	Q	H	A	R	R	I	S	A	S	D	W
E	D	V	Q	Y	J	I	C	K	J	G	N	E	N	Q
W	O	Q	J	U	F	V	H	W	N	L	O	T	I	K

BLOUNT
BRADSHAW
BUCHANAN
CAMPBELL
CLAIR
GRIESE
HANNAH
HARRIS
HENDRICKS
JONES
LAMBERT
LANDRY
SCHRAMM
SHELL
WOOD

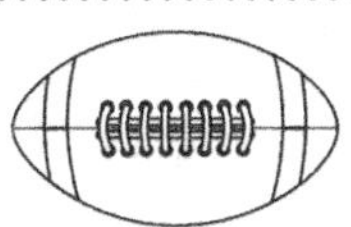

Hall of Fame 1991-1994

U	B	O	P	R	S	M	P	F	N	O	U	L	E	P
N	S	U	B	F	T	Q	A	R	O	T	Q	L	O	S
G	U	H	A	X	E	L	A	C	I	U	T	S	C	M
E	I	W	R	T	N	E	E	W	K	T	T	D	H	I
U	O	K	N	W	E	I	W	W	I	E	Y	S	Q	T
G	Y	A	E	Q	R	R	W	L	Y	H	Y	Y	A	H
Q	R	U	Y	S	U	D	I	U	N	A	E	R	G	N
G	U	H	Q	V	D	N	B	G	D	K	H	B	O	S
N	P	A	Y	T	O	N	U	H	G	R	E	S	J	L
O	I	S	I	B	X	M	F	T	S	I	N	L	E	R
L	I	W	A	L	S	H	C	Y	T	H	N	C	L	Y
L	Q	A	G	D	J	I	N	U	O	N	T	S	X	Y
L	L	U	G	F	Z	I	P	J	Q	U	J	F	E	S
H	P	L	G	D	O	R	S	E	T	T	M	C	Z	J
S	F	I	I	E	Y	V	N	B	L	D	A	V	I	S

BARNEY
DAVIS
DORSETT
FOUTS
GRANT
JOHNSON
KELLY
LITTLE
MACKEY
NOLL
PAYTON
RIGGINS
SMITH
STENERUD
WALSH

Hall of Fame 1994-1997

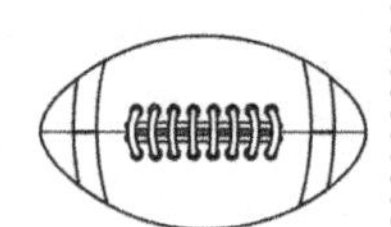

I	Z	L	D	C	R	E	N	F	R	O	H	D	Q	A
U	V	F	A	R	A	R	V	E	Y	Z	B	H	L	Y
S	J	W	Q	E	T	L	G	O	R	Z	I	U	G	T
H	W	E	Z	E	F	I	A	W	Z	G	H	V	U	M
A	G	B	D	K	F	I	D	R	H	S	D	U	V	Q
Y	I	S	C	M	P	S	N	I	G	I	C	E	F	W
N	B	T	J	U	Z	L	O	K	E	E	T	H	W	W
E	B	E	Q	R	A	J	C	M	S	R	N	E	O	A
S	S	R	C	R	M	W	T	N	U	L	D	T	H	N
Y	E	H	A	G	O	F	S	P	G	Y	H	O	A	I
Y	W	M	N	L	K	K	U	J	O	W	O	D	R	T
R	O	Y	S	E	L	M	O	N	O	D	R	G	W	F
O	M	N	B	O	I	M	P	V	L	O	H	E	U	V
G	I	H	N	G	H	J	U	M	J	R	Y	U	G	Q
W	T	J	O	I	N	E	R	N	R	E	W	V	D	F

CREEKMUR
DIERDORF
FINKS
GIBBS
HAYNES
JOINER
JORDAN
LARGENT
MARA
RENFRO
ROY SELMON
SHULA
WEBSTER
WHITE
WINSLOW

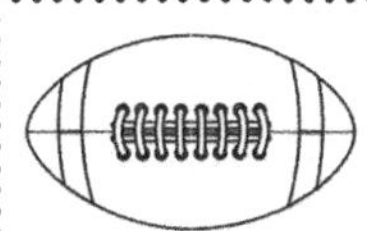

Texans

W	A	T	S	O	N	P	Z	K	H	L	T	A	O	L
Q	J	Z	K	A	S	E	L	P	V	H	E	S	B	T
N	Q	T	D	J	F	Z	E	F	V	Z	X	S	R	G
B	L	I	G	I	P	S	O	N	M	F	A	O	I	S
P	E	L	S	G	O	D	Z	U	E	A	N	M	E	T
R	Z	B	W	J	O	C	I	B	R	J	S	E	N	J
X	H	O	U	S	T	O	N	L	C	D	F	C	Z	A
M	V	B	F	Q	V	P	I	Q	I	L	W	P	B	S
P	C	H	Y	D	E	S	T	C	L	J	H	A	N	D
S	R	K	Z	R	N	N	F	D	U	B	L	I	T	B
G	T	A	I	U	A	D	S	U	S	I	K	K	X	T
I	D	I	T	N	O	V	T	E	L	P	Q	Q	I	L
O	N	K	L	W	N	M	B	W	O	L	J	F	G	I
L	Q	H	Q	L	H	E	Z	H	O	B	E	O	X	V
F	L	A	K	O	S	N	Y	X	P	Z	H	R	Q	E

FULLER
GIPSON
HOPKINS
HOUSTON
HYDE
JOSEPH
MCKINNEY
MERCILUS
OBRIEN
REID
STILLS
TEXANS
TUNSIL
WATSON
WATT

Colts

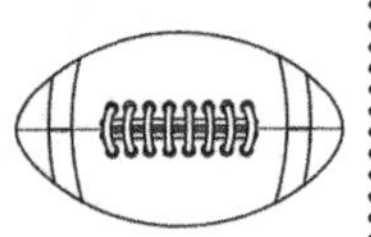

L	E	O	N	A	R	D	W	L	F	N	A	P	G	Q
H	C	E	B	R	O	N	K	G	S	X	M	S	A	Y
I	O	A	H	B	H	P	I	D	D	L	I	Q	C	P
F	B	O	S	S	H	F	J	U	L	L	C	S	K	J
U	R	L	K	T	K	P	S	M	O	O	H	H	N	V
G	I	F	A	E	O	H	S	P	H	Z	M	O	O	B
R	S	M	E	A	R	N	A	V	P	T	S	M	N	Q
E	S	O	A	I	D	N	Z	C	M	L	M	O	B	V
I	E	I	K	C	A	O	K	O	E	Y	T	X	T	W
C	T	H	B	I	K	M	Y	N	A	L	Z	S	C	J
H	T	E	D	T	X	I	J	L	I	D	T	H	O	H
R	C	N	H	P	V	A	N	H	E	T	M	E	L	D
X	I	G	U	G	D	E	S	I	R	B	W	A	T	U
J	A	M	H	O	U	S	T	O	N	Q	T	R	S	U
H	O	Q	N	H	T	V	G	P	A	U	M	D	P	I

BRISSETT
CASTONZO
COLTS
DESIR
DOYLE
EBRON
HILTON
HOOKER
HOUSTON
INDIANAPOLIS
LEONARD
MACK
NELSON
REICH
SHEARD

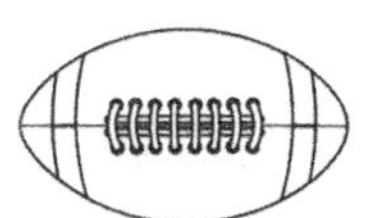

Jaguars

R	N	B	V	D	C	H	A	R	K	R	B	N	G	P
K	M	O	J	N	U	J	Q	E	E	F	E	P	N	T
L	W	H	A	U	I	T	Y	D	K	L	S	D	F	W
K	E	Q	G	B	Z	U	N	T	L	W	M	Y	T	Y
T	S	Y	U	K	O	I	E	I	R	S	I	U	S	G
O	T	B	A	B	L	F	V	E	Y	L	N	U	N	C
L	B	A	R	B	I	N	O	P	J	P	S	C	J	H
I	R	S	S	U	O	N	K	U	F	F	H	A	J	A
A	O	D	A	S	F	L	G	F	R	E	E	M	X	I
K	O	G	K	D	L	J	I	A	O	N	W	S	S	A
Q	K	C	Y	E	L	P	A	I	K	L	E	L	N	E
S	A	C	W	L	Y	T	F	C	L	O	E	T	V	H
J	S	R	W	N	Y	E	T	D	K	C	U	S	T	I
U	O	I	C	A	M	P	B	E	L	L	I	E	B	E
N	V	X	U	M	A	R	R	O	N	E	F	X	M	B

BOUYE
CAMPBELL
CHARK
FOLES
FOURNETTE
JACK
JACKSONVILLE
JAGUARS
LINDER
MARRONE
MINSHEW
NGAKOUE
NORWELL
WESTBROOK

Chiefs

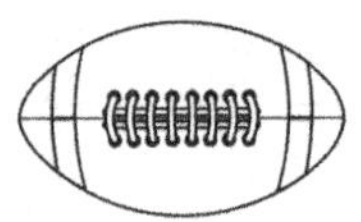

M	K	I	H	F	G	W	K	N	U	K	M	W	M	A
I	H	O	O	A	F	V	I	R	A	N	E	V	F	S
W	A	T	K	I	N	S	F	L	T	D	Y	L	M	U
V	R	Q	W	E	T	I	S	U	L	E	R	O	C	L
M	D	O	J	E	I	F	F	Y	L	I	X	H	C	E
A	M	Z	H	F	E	Q	N	S	J	L	A	G	O	K
U	A	L	N	I	I	O	E	Y	B	G	E	M	Y	A
B	N	K	H	X	S	M	G	F	Q	J	I	R	S	N
F	P	C	J	N	O	L	C	B	A	H	N	K	T	S
T	S	W	I	H	L	M	U	P	N	H	A	R	X	A
F	N	B	A	I	T	B	M	A	T	H	I	E	U	S
A	O	M	H	T	B	U	T	K	E	R	A	I	V	C
R	L	C	L	A	R	K	C	D	T	S	C	D	I	I
L	D	E	Z	C	X	S	J	V	U	A	N	X	W	T
B	E	Z	Y	G	R	K	I	S	E	B	P	X	U	Y

BUTKER
CHIEFS
CLARK
FULLER
HARDMAN
HILL
KANSAS CITY
KELCE
MAHOMES
MATHIEU
MCCOY
REID
ROBINSON
WATKINS
WILLIAMS

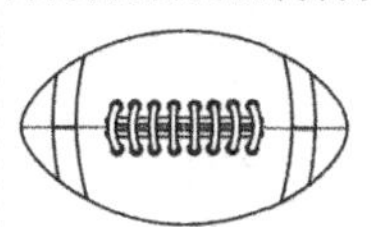

Chargers

R	E	Q	A	Z	B	I	X	U	O	J	O	S	C	A
I	Y	K	C	D	A	V	I	S	E	T	W	U	Z	U
X	R	C	E	W	K	I	N	G	B	W	S	O	S	W
I	L	W	I	L	L	I	A	M	S	E	P	S	C	V
N	P	C	F	S	E	T	U	L	L	F	O	P	Q	N
G	X	Y	V	Z	B	R	I	E	O	M	U	I	U	F
R	I	G	G	A	W	G	G	U	Q	G	N	S	M	F
A	A	S	O	R	C	N	F	U	G	Y	C	Q	G	D
M	L	W	Z	R	A	H	D	E	R	W	E	A	R	D
F	L	B	S	S	D	I	A	N	O	H	Y	A	J	M
X	E	G	O	B	B	O	E	R	N	Y	W	O	S	O
N	N	L	N	A	O	H	N	N	G	Y	O	Q	F	R
K	S	J	I	P	S	X	Y	W	A	E	G	C	M	J
T	I	D	I	T	A	L	C	H	E	W	R	N	V	Q
C	H	R	I	V	E	R	S	P	V	C	Z	S	M	V

ALLEN
BOSA
CHARGERS
DAVIS
EKELER
GORDON
HAYWARD
HENRY
INGRAM
KING
LOS ANGELES
LYNN
POUNCEY
RIVERS
WILLIAMS

Rams

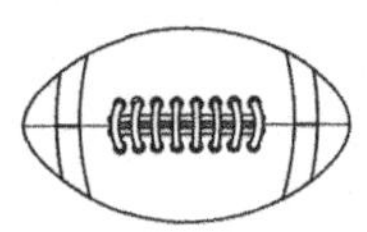

T	O	E	G	B	J	B	K	N	N	L	V	W	M	K
F	O	B	S	U	I	Z	T	Z	R	O	I	I	A	I
U	Y	Y	R	L	R	J	A	Y	T	S	G	M	L	U
L	Z	Z	A	O	B	L	Q	D	S	A	R	Z	M	V
O	A	T	R	M	C	U	E	K	Y	N	A	M	N	U
V	Q	X	C	G	M	K	I	Y	A	G	M	A	Z	F
D	O	N	A	L	D	F	E	Q	A	E	S	I	G	U
L	D	Z	S	M	J	L	A	R	L	L	O	Y	B	P
R	O	B	E	Y	P	P	L	A	S	E	T	Q	E	N
C	W	Q	K	I	C	Y	M	H	C	S	K	L	F	Y
M	O	C	S	O	E	T	J	O	F	O	D	U	L	E
C	O	I	S	S	T	P	M	F	G	D	O	N	P	I
V	D	R	M	I	E	B	O	P	E	H	F	K	G	P
A	S	A	T	N	J	G	B	W	H	M	D	T	S	G
Y	R	W	H	I	T	W	O	R	T	H	V	S	I	T

BROCKERS
COOKS
DONALD
GOFF
GURLEY
KUPP
LOS ANGELES
MCVAY
RAMS
RAMSEY
ROBEY
TALIB
WEDDLE
WHITWORTH
WOODS

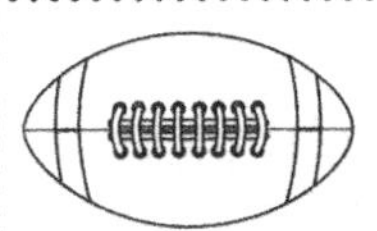

Dolphins

Z	F	P	N	T	X	Z	W	X	G	G	V	P	N	N
X	J	I	L	N	W	I	L	K	I	N	S	E	O	J
M	W	O	T	Z	C	U	I	E	W	X	S	T	G	R
I	U	O	N	Z	O	C	D	Y	F	O	L	U	A	N
A	V	Y	F	E	P	V	A	R	R	R	U	F	Z	D
M	T	W	S	L	S	A	E	R	A	Z	E	A	D	O
I	G	L	E	V	O	K	T	H	L	C	Q	Y	E	L
E	Y	E	N	F	A	R	C	R	N	O	R	L	I	P
N	B	F	U	B	Q	B	E	I	I	T	C	O	T	H
Y	P	A	R	K	E	R	R	S	W	C	Q	K	E	I
D	O	F	W	U	B	P	I	A	I	V	K	H	R	N
P	I	K	H	O	W	A	R	D	L	J	R	N	P	S
K	T	K	P	C	X	U	D	S	S	Z	Z	L	Z	O
S	A	O	C	T	T	N	S	A	O	F	X	U	D	T
O	X	Y	N	E	E	U	Z	N	N	I	J	F	E	N

BAKER
CARLOCK
CHARLTON
DEITER
DOLPHINS
FITZPATRICK
FLORES
HOWARD
JONES
MIAMI
PARKER
PRINCE
ROSEN
WILKINS
WILSON

Vikings

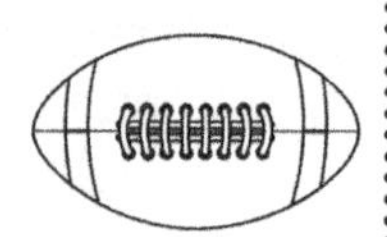

G	R	I	F	F	E	N	W	C	S	L	Y	L	Q	H
G	S	L	R	S	Y	B	D	I	G	G	S	X	P	N
B	A	N	H	J	S	A	Q	X	Y	N	O	L	P	H
M	M	Z	U	X	K	R	A	C	E	M	O	K	H	M
P	A	Z	A	D	U	R	S	L	R	D	Q	P	X	I
T	A	I	E	V	K	X	E	E	U	I	E	Z	D	N
N	H	M	C	I	I	I	C	R	S	S	C	C	Z	N
L	U	M	V	O	H	K	E	C	O	M	E	E	Y	E
W	N	E	T	T	U	Y	I	J	O	A	I	M	S	S
Z	T	R	H	N	Q	S	X	N	U	O	R	T	W	O
Y	E	Q	E	A	N	M	I	B	G	K	K	Y	H	T
L	R	D	C	B	D	M	I	N	F	S	T	B	J	A
S	E	N	D	E	J	O	M	V	S	P	C	F	K	O
I	P	R	H	O	D	E	S	L	O	D	D	B	D	Y
Z	E	C	A	L	F	D	P	Z	C	W	I	B	Q	R

BARR
COOK
COUSINS
DIGGS
GRIFFEN
HUNTER
JOSEPH
MINNESOTA
RHODES
RUDOLPH
SENDEJO
SMITH
THIELEN
VIKINGS
ZIMMER

Patriots

M	M	T	O	J	S	H	N	Q	R	J	C	H	V	Q
Q	M	I	C	H	E	L	I	Y	K	S	H	B	A	B
L	F	O	D	B	V	Z	W	G	F	E	U	Q	N	B
B	T	W	D	H	T	S	Q	H	H	E	N	H	N	G
E	O	H	H	Y	Z	Q	I	A	I	T	G	Z	O	Z
L	U	K	R	A	F	T	L	W	Y	T	O	G	Y	S
I	N	E	W	E	N	G	L	A	N	D	E	W	T	W
C	G	E	E	K	I	Y	M	J	Z	M	E	O	E	U
H	T	F	D	P	U	C	M	C	S	B	I	X	N	R
I	C	K	E	C	M	A	J	N	C	R	R	O	L	T
C	E	W	L	S	K	T	I	M	T	O	S	A	W	F
K	F	S	M	J	N	L	Y	A	C	A	U	T	D	F
E	A	I	A	V	L	Y	P	J	M	I	W	R	H	Y
F	A	B	N	O	G	I	L	M	O	R	E	Y	T	L
T	K	P	C	G	K	R	K	S	E	P	U	V	G	Y

BELICHICK
BRADY
CHUNG
COLLINS
EDELMAN
GILMORE
HIGHTOWER
KRAFT
MASON
MCCOURTY
MICHEL
NEW ENGLAND
PATRIOTS
VAN NOY
WHITE

Saints

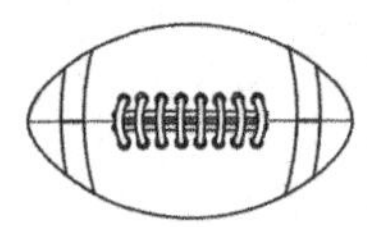

R	A	N	K	I	N	S	N	Z	X	L	D	I	C	U
N	B	Q	Q	C	L	H	M	X	T	A	C	U	B	V
I	R	K	A	M	A	R	A	U	E	H	O	B	A	J
J	E	E	G	O	N	N	X	T	R	E	O	L	J	J
J	E	J	I	A	W	M	S	X	S	R	K	M	O	R
C	S	M	D	F	J	M	R	A	A	T	A	I	A	C
P	J	R	C	Q	R	K	O	E	I	R	E	Y	T	S
L	O	M	L	A	W	U	B	I	N	V	S	W	Q	A
J	A	L	A	R	F	R	I	C	T	O	S	R	W	W
K	I	T	E	D	E	S	N	O	S	Q	S	L	N	I
H	Z	D	I	M	E	M	S	S	V	D	G	O	R	Q
G	I	N	N	M	H	F	O	J	X	L	T	A	Z	V
B	R	S	K	V	O	U	N	O	B	Y	F	M	M	U
M	G	N	E	W	O	R	L	E	A	N	S	N	T	E
S	R	O	D	Y	A	N	E	P	H	I	R	A	D	P

ARMSTEAD
BREES
COOK
GINN
HILL
JORDAN
KAMARA
LATIMORE
MURRAY
NEW ORLEANS
PAYTON
RANKINS
ROBINSON
SAINTS
THOMAS

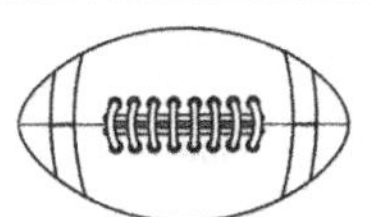

Jets

S	Z	S	P	T	K	D	A	R	N	O	L	D	D	U
B	B	J	G	X	T	H	A	Z	P	L	K	I	G	X
A	B	H	U	Y	F	R	H	L	H	A	A	Z	C	E
J	B	T	V	L	N	J	E	T	S	D	N	E	Q	O
O	W	I	L	L	I	A	M	S	D	A	D	H	C	N
H	A	N	A	R	Y	I	H	L	S	M	E	V	L	A
N	T	S	E	E	O	F	C	R	T	S	R	I	P	A
S	H	S	L	W	A	B	E	Y	R	D	S	M	Z	C
O	V	S	I	J	Y	T	E	E	A	S	O	T	C	G
N	O	B	J	V	N	O	D	R	A	W	N	O	X	A
M	U	E	E	I	D	W	R	Q	T	Z	B	W	O	S
M	N	G	W	L	O	G	N	K	T	S	D	H	Z	E
V	A	R	Y	R	L	E	X	G	M	S	Q	O	B	I
Q	G	Y	C	I	D	S	Z	F	T	S	J	O	W	Y
E	D	P	E	D	P	O	Z	I	T	H	O	M	A	S

ADAMS
ANDERSON
BELL
CROWDER
DARNOLD
GASE
JETS
JOHNSON
MAYE
MOSLEY
NEW YORK
ROBERTS
THOMAS
WILLIAMS
WINTERS

NFC Conference

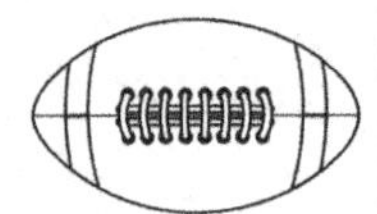

P	L	S	R	A	M	S	G	A	Z	M	B	U
A	I	W	R	W	O	I	U	S	Z	U	Y	S
N	H	I	R	E	A	S	Y	P	C	Z	S	L
T	S	I	N	N	N	O	A	C	F	K	E	A
H	B	N	T	V	B	I	A	I	W	M	A	N
E	M	S	O	W	V	N	N	A	N	P	C	I
R	L	G	O	C	E	I	H	Y	F	T	U	D
S	I	C	E	E	L	A	K	Q	T	P	S	R
S	O	B	R	F	E	A	D	I	Q	R	A	A
R	N	S	H	S	V	Z	F	D	N	N	O	C
A	S	N	S	R	E	K	C	A	P	G	A	F
E	S	E	L	G	A	E	N	E	Q	Z	S	N
B	Z	R	E	D	S	K	I	N	S	I	U	L

BEARS
BUCCANEERS
CARDINALS
COWBOYS
EAGLES
FALCONS
FORTY-NINERS
GIANTS
LIONS
PACKERS
PANTHERS
RAMS
REDSKINS
SAINTS
SEAHAWKS
VIKINGS

NFC Cities

H	A	O	D	H	C	H	I	C	A	G	O	G	O
R	X	A	I	H	P	L	E	D	A	L	I	H	P
S	K	A	N	I	L	O	R	A	C	S	S	I	O
I	I	H	A	N	O	Z	I	R	A	A	N	U	L
W	A	S	H	I	N	G	T	O	N	N	A	L	R
T	M	G	K	T	Q	T	A	U	U	F	E	O	E
S	I	I	R	R	Q	L	Z	F	J	R	L	S	L
A	D	O	N	E	O	Q	J	O	T	A	R	A	T
L	D	T	R	N	E	Y	X	R	D	N	O	N	T
L	S	D	D	T	E	N	W	C	B	C	W	G	A
A	K	Y	O	A	E	S	B	E	Q	I	E	E	E
D	M	I	P	B	E	D	O	A	N	S	N	L	S
T	A	M	P	A	B	A	Y	T	Y	C	J	E	X
F	A	T	N	A	L	T	A	T	A	O	P	S	L

ARIZONA
ATLANTA
CAROLINA
CHICAGO
DALLAS
DETROIT
GREEN BAY
LOS ANGELES
MINNESOTA
NEW ORLEANS
NEW YORK
PHILADELPHIA
SAN FRANCISCO
SEATTLE
TAMPA BAY
WASHINGTON

Coaches

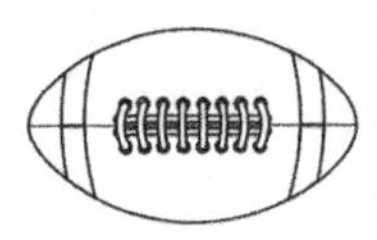

V	K	O	Q	U	S	M	P	O	W	U	L	K	D	E
V	I	B	Y	N	F	A	N	G	I	O	N	F	S	L
T	N	I	T	Q	U	I	N	N	P	B	T	O	H	A
T	G	P	H	Q	E	O	P	O	Q	B	G	Q	X	C
A	S	K	A	S	H	U	R	M	U	R	L	Q	K	E
Y	B	S	E	T	M	C	D	E	R	M	O	T	T	U
L	U	I	L	C	R	Y	P	B	X	W	V	N	N	Z
O	R	N	Y	U	Q	I	Y	E	R	S	A	C	S	K
R	Y	K	N	P	X	Y	C	U	D	H	L	N	M	L
Z	M	P	N	D	E	F	E	I	A	E	E	H	A	N
O	U	P	G	L	A	L	L	N	A	H	R	F	R	B
E	Z	B	R	W	F	B	A	O	C	W	Y	S	R	L
T	M	P	J	A	J	H	U	T	R	G	W	A	O	K
H	I	N	L	Z	S	Z	I	T	A	E	M	X	N	N
B	R	B	X	A	C	K	Z	N	F	P	S	K	E	A

FANGIO
FLORES
KINGSBURY
KITCHENS
LAFLEUR
LYNN
MARRONE
MCDERMOTT
NAGY
PATRICIA
PEDERSON
QUINN
SHANAHAN
SHURMUR
TAYLOR

Coaches 2

K	P	H	T	Y	O	W	G	R	U	D	E	N	W	N
F	W	U	O	N	C	C	G	A	S	E	B	W	V	L
P	Y	G	M	D	A	J	G	G	A	R	R	E	T	T
R	S	P	L	R	R	C	B	W	E	O	D	A	J	S
E	A	U	I	E	R	N	L	R	P	Y	W	Z	J	N
P	R	P	N	I	O	Y	S	B	Z	R	Z	J	G	K
N	I	W	X	D	L	H	V	R	D	O	E	N	C	G
N	A	T	Z	U	L	K	A	O	I	F	R	I	K	N
V	N	F	W	A	N	H	R	R	X	V	H	F	C	Z
R	S	I	T	O	L	E	J	Y	B	C	E	L	E	H
E	Z	C	T	G	M	B	A	F	I	A	G	R	B	T
A	K	Y	D	M	T	V	R	L	M	L	U	I	A	I
B	A	H	I	M	C	Q	E	Z	W	B	X	G	F	V
P	O	Z	J	M	H	B	R	C	G	L	E	T	H	M
B	V	R	A	B	E	L	X	K	I	D	C	A	R	H

ARIANS
BELICHICK
CARROLL
GARRETT
GASE
GRUDEN
HARBAUGH
MCVAY
PAYTON
REICH
REID
RIVERA
TOMLIN
VRABEL
ZIMMER

Raiders

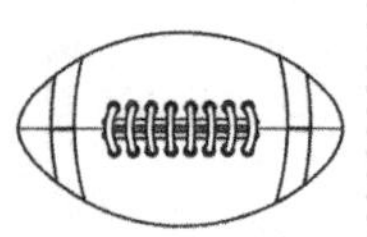

D	B	K	U	C	C	R	C	B	U	B	F	E	E	E
S	T	U	O	A	N	J	A	O	T	D	F	O	O	P
W	V	J	T	R	A	F	K	I	S	I	T	O	D	J
E	X	O	D	R	O	M	I	M	D	I	Y	S	G	Z
A	X	Y	R	B	A	A	G	H	N	E	X	B	O	J
R	Q	N	X	P	X	N	K	G	U	E	R	H	A	A
I	Z	E	V	W	O	N	O	L	S	D	X	S	L	C
N	G	R	C	S	E	C	D	Y	A	M	S	B	V	O
G	P	A	K	D	N	T	I	T	G	N	I	O	X	B
E	X	C	U	I	N	F	F	X	H	M	D	T	N	S
R	A	R	D	W	W	I	L	L	I	A	M	S	H	P
J	G	F	O	A	U	K	W	I	A	J	Y	H	E	I
F	E	R	G	V	T	K	G	F	D	O	T	A	C	U
B	B	J	O	R	D	A	N	R	U	W	Z	E	N	T
W	Z	J	S	T	W	A	L	L	E	R	O	J	B	V

BROWN
CARR
GRUDEN
HUDSON
INCOGNITO
JACKSON
JACOBS
JORDAN
JOYNER
OAKLAND
RAIDERS
SMITH
SWEARINGER
WALLER
WILLIAMS

Offense

J	W	D	R	A	U	G	T	H	G	I	R	B	Y
Y	H	A	L	F	B	A	C	K	L	V	E	B	O
Y	N	O	S	U	A	K	Z	G	E	F	O	Y	A
K	N	E	M	E	N	I	L	D	E	L	X	I	R
C	R	E	V	I	E	C	E	R	E	D	I	W	I
A	L	E	F	T	G	U	A	R	D	O	A	I	G
B	P	A	S	S	C	A	T	C	H	E	R	S	H
G	R	S	Z	J	A	U	Z	B	C	K	O	L	T
N	E	C	E	L	K	C	A	T	T	F	E	L	T
I	T	N	F	F	U	L	L	B	A	C	K	K	A
N	N	F	C	L	H	O	F	F	E	N	S	E	C
N	E	R	M	U	S	R	E	Y	A	L	P	H	K
U	C	D	N	E	T	H	G	I	T	L	C	H	L
R	Q	U	A	R	T	E	R	B	A	C	K	G	E

CENTER
FULLBACK
HALFBACK
LEFT GUARD
LEFT TACKLE
LINEMEN
OFFENSE
PASS CATCHER
PLAYERS
QUARTERBACK
RIGHT GUARD
RIGHT TACKLE
RUNNING BACK
TIGHT END
WIDE RECEIVER

Eagles

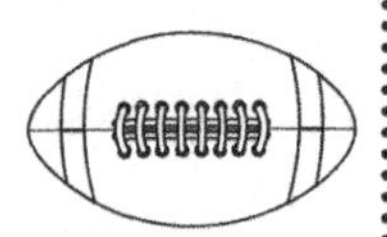

E	A	G	L	E	S	U	N	W	V	E	Y	R	J	Q
R	J	J	E	F	F	R	E	Y	C	R	O	X	C	F
M	O	M	I	T	A	Q	E	L	X	F	O	A	J	R
X	H	F	O	L	E	S	E	P	A	C	I	Z	Z	Z
Y	N	W	I	W	J	K	K	C	V	H	V	F	M	B
E	S	A	Z	Q	O	E	O	M	P	D	E	G	K	R
D	O	M	B	B	R	K	N	L	L	Q	T	P	A	O
J	N	K	B	L	C	W	E	K	R	W	J	V	G	O
V	D	J	H	O	P	D	E	O	I	B	D	Y	R	K
E	F	W	Q	U	A	E	L	N	N	N	B	Z	A	S
J	R	M	L	L	Y	O	T	U	T	E	S	O	H	N
P	L	T	I	Y	H	O	E	E	W	Z	T	O	A	V
P	Y	H	Z	G	T	R	F	R	R	I	K	V	M	M
H	P	U	A	T	O	B	W	Q	Y	S	K	V	C	P
I	P	E	D	E	R	S	O	N	V	U	T	E	U	T

AGHOLOR
BROOKS
COX
EAGLES
ERTZ
FOLES
GRAHAM
JEFFREY
JENKINS
JOHNSON
KELCE
PEDERSON
PETERS
PHILADELPHIA
WENTZ

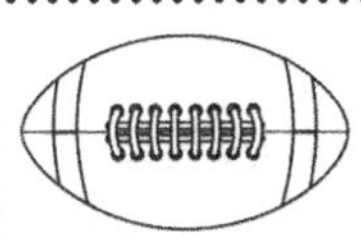

Steelers

G	M	E	W	U	S	C	H	U	S	T	E	R	A	M
H	C	N	K	F	V	D	A	L	K	L	D	G	W	T
E	D	Z	G	M	I	H	E	S	L	X	M	L	T	A
Y	O	W	F	F	V	T	R	C	O	L	L	A	E	C
W	N	U	J	E	I	E	Z	U	A	E	W	V	Q	H
A	A	V	N	Z	L	U	X	P	W	S	J	N	G	X
R	L	Y	U	E	L	S	Z	S	A	S	T	R	J	V
D	D	K	E	Z	A	T	O	P	B	T	U	R	V	L
A	Y	T	E	E	N	B	O	K	O	B	R	C	O	K
F	S	Y	B	H	U	I	Y	M	S	U	V	I	M	R
Q	C	O	N	N	E	R	S	T	L	W	N	F	C	L
G	O	V	Y	H	V	Q	T	J	H	I	L	C	I	K
Z	I	Q	I	G	A	I	H	H	P	O	N	D	E	C
S	R	G	E	Y	P	I	R	U	D	O	L	P	H	Y
X	R	O	E	T	H	L	I	S	B	E	R	G	E	R

BOSWELL
CONNER
DECASTRO
FITZPATRICK
HEYWARD
MCDONALD
PITTSBURGH
POUNCEY
ROETHLISBERGER
RUDOLPH
SCHUSTER
STEELERS
TOMLIN
VILLANUEVA
WATT

Plays

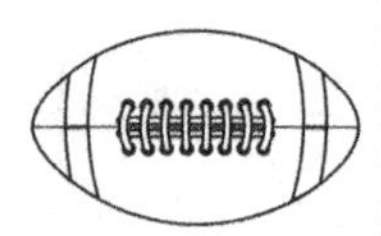

U	L	T	W	P	K	N	F	H	H	M	E	Y	W	J
U	L	O	F	L	E	A	F	L	I	C	K	E	R	D
H	R	S	U	E	C	C	H	T	W	G	G	T	M	R
A	Y	S	R	P	P	Y	L	F	A	J	S	W	A	A
I	Y	C	P	F	M	O	J	I	B	L	O	C	K	W
L	S	V	L	K	S	N	S	L	G	K	D	D	M	S
M	M	E	A	X	W	B	R	T	I	U	N	O	S	Z
A	V	R	Y	Q	S	Q	L	J	P	W	D	A	Y	Z
R	Q	F	A	S	O	L	M	I	O	T	P	T	T	K
Y	D	L	C	M	R	B	A	D	N	F	P	I	F	V
U	T	E	T	E	Q	U	K	N	T	D	L	B	U	S
I	S	A	I	V	W	C	N	J	T	B	S	A	S	J
C	Y	Q	O	S	E	A	F	V	H	U	I	I	R	H
Z	I	Z	N	H	H	S	Y	T	Z	G	I	A	D	N
H	T	N	C	U	V	W	C	O	U	N	T	E	R	E

BLIND SIDE
BLITZ
BLOCK
CHECK DOWN
COUNTER
DRAW
FLEA FLICKER
HAIL MARY
PASS
PLAY ACTION
POST
RUN
SCREEN
SLANT
TOSS

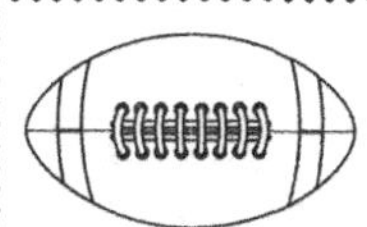

49ers

K	V	S	F	H	N	O	T	I	O	Q	S	V	N	R
J	I	W	A	G	T	M	C	O	L	E	M	A	N	N
T	V	T	A	N	Z	U	B	O	S	A	H	W	A	D
M	R	H	T	P	F	E	R	U	N	A	R	M	R	A
K	N	X	J	L	Z	R	K	T	N	O	R	O	D	T
F	D	T	U	Z	E	F	A	A	I	E	F	I	S	V
S	O	Y	S	Y	K	G	H	N	H	O	E	J	T	L
U	S	H	Z	U	N	S	Y	S	C	R	F	D	A	B
N	M	A	C	B	S	T	F	D	B	I	T	C	L	U
Q	M	I	Z	W	Q	A	V	G	R	O	S	I	E	C
Y	E	Q	Y	H	O	G	N	G	O	S	Q	C	Y	K
R	Q	T	K	R	K	S	B	D	O	R	W	N	O	N
L	W	S	A	M	U	E	L	Y	E	U	B	D	U	E
G	A	R	O	P	P	O	L	O	P	R	L	P	N	R
Y	H	J	C	W	P	K	D	I	R	P	S	D	J	Y

BOSA
BREIDA
BUCKNER
COLEMAN
FORD
GAROPPOLO
GOULD
JUSZCZYK
KITTLE
SAMUEL
SAN FRANCISCO
SANDERS
SHANAHAN
SHERMAN
STALEY

Seahawks

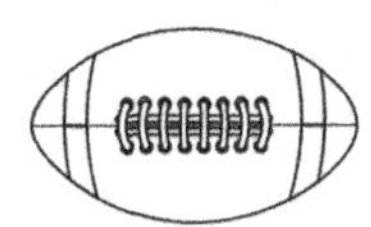

L	O	C	K	E	T	T	F	N	M	P	F	N	L	Z
F	J	M	M	C	B	E	O	Z	R	H	C	A	X	H
R	U	L	Y	L	L	S	V	W	Z	M	I	R	A	U
Y	N	I	E	T	L	G	O	R	D	O	N	S	T	T
I	Y	A	T	I	Y	Z	P	L	Y	Z	N	B	U	H
S	W	A	W	M	Y	M	R	R	M	A	Y	C	X	R
K	E	A	K	E	N	D	R	I	C	K	S	C	B	G
S	C	A	G	M	S	E	S	S	D	R	K	A	H	R
G	U	L	H	N	O	R	P	V	O	L	B	R	H	I
F	H	N	O	A	E	O	F	H	U	T	R	S	Y	F
R	H	R	Y	W	W	R	R	G	G	L	O	O	S	F
A	X	G	O	A	N	K	L	E	A	N	W	N	V	I
S	X	L	T	U	F	E	S	T	L	E	N	I	X	N
F	F	V	F	H	G	G	Y	U	D	F	X	B	S	K
N	M	O	J	Y	G	N	K	R	D	J	T	T	O	P

ANSAH
BROWN
CARSON
CLOWNEY
FLOWERS
GORDON
GRIFFIN
KENDRICKS
LOCKETT
MCDOUGALD
MOORE
SEAHAWKS
SEATTLE
WAGNER
WILSON

Super Bowl

U	J	S	Y	H	P	O	R	T	H	C	T	P
Q	Z	S	D	S	H	X	H	Y	O	T	O	E
R	S	W	N	Z	U	M	R	M	E	N	U	R
E	A	U	Z	O	U	N	M	Y	Q	E	C	O
F	S	X	P	I	I	E	D	S	I	M	H	C
A	S	K	D	E	R	T	N	A	T	E	D	S
N	M	A	C	C	R	O	O	A	Y	T	O	N
S	T	A	I	A	I	B	C	M	L	I	W	J
S	H	A	D	P	N	K	O	K	E	C	N	P
Q	L	K	M	V	L	S	D	W	B	X	I	L
S	H	A	A	E	P	A	S	S	L	E	J	E
S	H	T	E	L	E	V	I	S	I	O	N	Q
C	S	F	E	S	N	E	P	S	U	S	Y	O

CHAMPIONS
COMMERCIALS
EMOTIONS
EXCITEMENT
FANS
PASS
SCORE
SNACKS
STADIUM
SUNDAY
SUPER BOWL
SUSPENSE
TACKLE
TELEVISION
TOUCHDOWN
TROPHY

Buccaneers

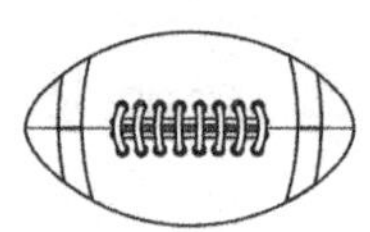

B	Y	P	N	W	R	A	K	G	Q	V	S	P	R	J
Q	Y	W	G	G	V	R	N	W	O	D	R	V	F	O
W	H	O	W	A	R	D	P	A	R	I	A	N	S	N
I	U	J	H	Q	N	D	F	K	H	J	U	P	X	E
N	T	E	T	V	G	B	C	J	M	R	C	H	O	S
S	V	E	A	A	B	U	C	C	A	N	E	E	R	S
T	D	R	E	M	M	R	K	F	U	Z	V	R	P	N
O	A	N	E	V	E	P	P	M	T	D	E	W	Y	G
N	V	X	S	D	A	Z	A	T	A	B	E	S	Y	O
A	I	N	V	U	N	N	E	B	R	R	M	Q	Q	D
Z	D	M	L	O	H	R	S	A	A	X	P	T	T	W
A	P	L	S	Z	R	Y	B	Z	Y	Y	Q	E	C	I
I	E	T	S	A	D	T	M	J	L	Z	X	U	T	N
L	O	K	B	V	O	Q	P	B	N	M	T	W	A	Q
D	I	O	X	Y	Z	V	E	K	J	Z	T	M	T	J

ARIANS
BARBER
BARRETT
BUCCANEERS
DAVID
DOTSON
EVANS
GODWIN
HOWARD
JONES
MARPET
SUH
TAMPA BAY
VEA
WINSTON

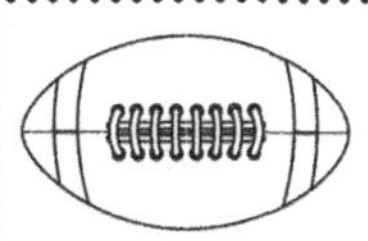

Titans

T	T	L	E	W	I	S	M	G	M	W	B	I	T	P
A	B	U	T	L	E	R	F	A	L	O	E	A	W	O
N	V	Y	R	V	Y	K	Q	V	R	E	Z	Q	N	D
N	M	R	M	A	D	U	V	M	S	I	P	L	N	A
E	D	C	A	R	N	K	U	S	L	U	O	T	X	V
H	J	G	A	B	H	S	E	K	L	E	G	T	Z	I
I	C	Y	S	Z	E	N	H	Z	E	U	W	S	A	S
L	B	K	Z	M	N	L	H	W	L	C	N	A	U	Q
L	S	M	B	E	P	F	F	V	E	A	G	H	N	P
P	S	I	T	L	A	G	Y	Y	T	G	R	W	V	S
B	R	G	P	M	X	Z	R	I	U	F	Y	A	B	I
R	D	M	L	A	R	N	T	N	G	H	A	L	O	T
K	F	H	C	H	E	A	T	Z	R	E	N	K	H	D
B	B	T	P	H	C	A	S	E	Y	J	U	E	W	I
S	X	I	G	G	S	A	F	F	O	L	D	R	K	H

BUTLER
BYARD
CASEY
DAVIS
HENRY
LEWAN
LEWIS
MARIOTA

RYAN
SAFFOLD
TANNEHILL
TENNESSEE
TITANS
VRABEL
WALKER

Redskins

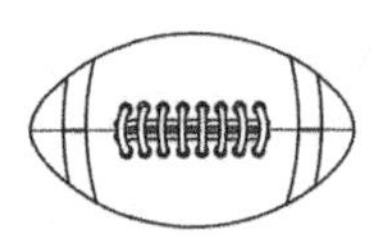

F	W	D	X	Q	S	B	X	P	P	I	E	E	G	H
M	C	L	A	U	R	I	N	W	E	M	E	V	B	C
H	G	K	F	B	T	Q	N	A	T	G	D	V	H	O
F	Z	Z	C	D	I	V	X	S	E	A	R	A	U	D
R	P	A	Y	N	E	U	Y	H	R	L	Z	W	B	N
T	H	O	M	P	S	O	N	I	S	L	J	B	A	E
H	A	S	K	I	N	S	J	N	O	E	R	M	V	F
B	N	K	B	R	B	A	P	G	N	N	R	G	S	B
E	U	Q	E	E	E	F	I	T	D	O	O	M	C	Z
D	M	R	D	R	F	D	H	O	N	B	A	G	O	L
L	A	X	T	R	R	P	S	N	J	I	S	C	L	T
F	M	V	E	O	N	I	N	K	L	R	L	H	L	X
A	U	H	I	W	N	L	G	L	I	Y	F	T	I	L
U	C	O	Z	S	S	I	I	A	E	N	E	F	N	L
S	V	N	M	O	O	W	T	Z	N	G	S	U	S	Z

ALLEN
BURTON
COLLINS
DAVIS
HASKINS
KERRIGAN
MCLAURIN
NORMAN
PAYNE
PETERSON
REDSKINS
SCHERFF
THOMPSON
WASHINGTON
WILLIAMS

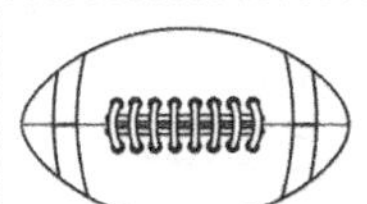

Draft

E	L	B	I	G	I	L	E	B	X	U	W	G
S	C	H	E	D	U	L	E	E	Y	E	Q	C
P	R	O	S	P	E	C	T	S	P	S	U	Y
M	R	G	U	N	B	K	M	T	L	I	T	G
N	B	C	X	O	M	Q	R	A	A	H	R	V
F	M	D	S	I	A	K	A	V	Y	C	A	S
L	E	J	K	T	S	A	G	A	E	N	D	E
D	D	Q	C	C	R	E	I	I	R	A	E	T
R	I	W	I	E	O	R	B	L	S	R	S	E
A	A	G	P	L	U	F	U	A	M	F	U	L
F	H	N	R	E	N	R	E	B	L	Y	X	H
T	K	B	Z	S	D	Q	D	L	M	I	E	T
Y	T	I	C	T	S	O	H	E	T	B	S	A

ATHLETES
BEST AVAILABLE
BIG ARM
ELIGIBLE
FRANCHISE
FREAK
HOST CITY
MEDIA

NFL DRAFT
PICKS
PLAYERS
PROSPECT
ROUND
SCHEDULE
SELECTION
TRADES

Equipment

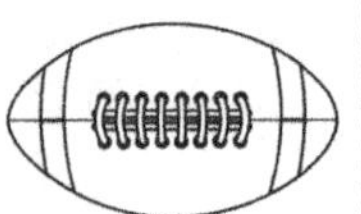

E	N	N	G	N	E	Y	Z	G	G	M	T	G
V	A	O	D	L	E	N	G	A	O	C	U	J
I	H	S	I	O	O	W	U	U	M	A	D	K
T	J	T	U	S	R	V	T	M	K	R	S	E
C	E	A	W	T	S	H	E	S	B	A	T	Q
E	R	E	J	B	G	E	K	S	M	E	P	U
T	S	L	S	U	S	C	R	E	X	G	R	I
O	E	C	A	P	O	T	C	P	E	W	E	P
R	Y	R	I	S	V	A	N	A	M	W	O	M
P	D	G	K	R	F	S	R	A	K	O	M	E
W	R	I	S	T	B	A	N	D	P	R	C	N
M	R	O	F	I	N	U	P	A	D	S	U	T
M	I	U	W	F	N	Y	T	E	M	L	E	H

CLEATS
COMPRESSION
EQUIPMENT
FACEMASK
GEAR
GLOVES
HELMET
JERSEY
MOUTH GUARD
NUMBER
PADS
PANTS
PROTECTIVE
SOCKS
UNIFORM
WRISTBAND

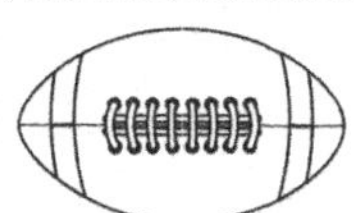

Fantasy Football

I	L	A	T	R	A	D	E	B	A	I	T	M
O	S	G	N	I	K	N	A	R	E	J	A	C
B	R	E	A	K	O	U	T	Y	A	X	H	G
S	I	T	A	N	S	B	P	U	N	E	N	G
L	T	F	C	G	A	U	C	L	A	I	M	F
E	N	A	E	X	E	T	F	T	F	L	E	L
E	E	R	B	N	I	G	S	F	O	T	S	E
P	G	D	I	O	C	H	U	E	I	R	R	E
E	A	L	N	G	E	C	G	L	Y	Z	E	C
R	E	T	T	E	D	A	E	N	I	C	Y	I
R	E	V	T	N	B	U	S	T	H	Z	A	N
M	R	V	A	E	V	R	E	S	E	R	L	G
T	F	H	M	Y	E	U	G	A	E	L	P	D

AUCTION
BREAKOUT
BUST
CHEAT SHEET
DRAFT
ELITE
FLEECING
FREE AGENT

HANDCUFFING
LEAGUE
LINEUP
PLAYERS
RANKINGS
RESERVE
SLEEPER
TRADE BAIT

Field

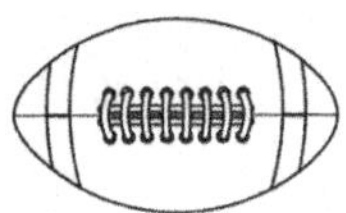

X	O	B	E	L	K	C	A	T	T	R	S	B	B
D	B	R	T	E	K	C	O	P	N	C	R	Y	A
A	O	T	E	P	U	S	C	F	E	V	M	W	C
Y	Z	W	K	D	K	J	R	Z	M	N	P	S	K
L	A	F	N	C	Z	U	A	H	H	T	H	I	F
N	R	L	I	F	T	O	A	Q	C	J	R	D	I
G	O	T	P	O	I	S	N	G	A	P	S	E	E
Z	S	R	R	F	H	E	R	E	O	R	E	L	L
R	F	T	I	M	O	A	L	S	R	E	N	I	D
Y	S	U	A	D	S	D	Y	D	C	B	I	N	B
A	N	R	C	S	I	T	L	Z	N	A	L	E	S
P	K	P	Z	N	O	R	L	E	E	M	D	N	X
S	C	H	A	I	N	C	G	N	I	W	N	L	D
Z	G	O	A	L	P	O	S	T	S	F	E	J	X

ASTROTURF
BACKFIELD
CHAIN
DOWNFIELD
ENCROACHMENT
END LINES
FIELD OF PLAY
GOALPOSTS
GRASS
GRIDIRON
HASHMARKS
POCKET
RED ZONE
SIDELINE
STICKS
TACKLE BOX

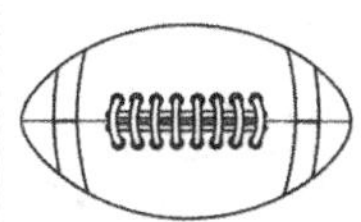

Penalties

Z	A	Q	T	D	E	L	A	Y	O	F	G	A	M	E
S	D	Y	C	F	M	P	E	M	F	Y	H	R	U	K
P	L	C	J	G	T	E	L	T	S	I	H	W	G	Q
N	T	N	E	M	H	C	A	O	R	C	N	E	T	E
A	K	T	R	A	T	S	E	S	L	A	F	S	C	R
P	E	R	S	O	N	A	L	F	O	U	L	N	Y	A
L	X	N	F	S	N	J	S	H	G	Z	E	O	E	L
L	L	O	G	J	E	B	Q	N	U	R	Z	F	L	L
A	I	I	V	N	Q	D	I	O	E	U	Y	F	L	O
B	V	S	D	X	I	D	I	F	N	T	L	I	O	C
D	E	I	G	A	L	H	R	S	L	Y	B	C	W	E
A	B	L	W	O	W	E	G	A	F	Q	D	I	F	S
E	A	L	H	D	T	N	N	U	D	F	K	A	L	R
D	L	O	G	N	L	E	H	L	O	D	O	L	A	O
U	L	C	I	E	P	O	O	D	G	R	B	S	G	H

COLLISION
DEAD BALL
DELAY OF GAME
ENCROACHMENT
FALSE START
HOLDING
HORSE COLLAR
INTERFERENCE
LIVE BALL
OFFICIALS
OFFSIDES
PENALTY
PERSONAL FOUL
ROUGHING
WHISTLE
YELLOW FLAG

Playoffs

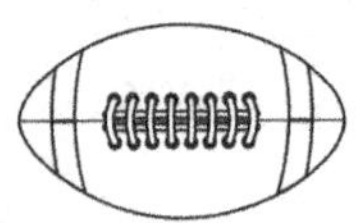

W	E	C	N	E	R	E	F	N	O	C	M
U	Y	M	L	Q	T	Z	S	P	D	S	K
H	B	S	P	U	N	L	D	U	S	R	Q
O	R	F	M	A	E	N	N	H	R	E	D
M	A	F	R	L	M	O	U	C	S	N	I
E	C	O	E	I	A	I	O	T	E	N	V
F	K	Y	C	F	N	P	R	A	E	I	I
I	E	A	O	Y	R	M	Y	M	D	W	S
E	T	L	R	W	U	A	B	L	I	H	I
L	S	P	D	U	O	H	V	I	N	B	O
D	E	Z	A	F	T	C	V	Q	G	L	N
J	W	I	L	D	C	A	R	D	U	G	D

BRACKETS
CHAMPION
CONFERENCE
DIVISION
HOME FIELD
MATCH UP
PLAYOFFS
QUALIFY
RECORD
ROUNDS
SEEDING
TOURNAMENT
WILD CARD
WINNERS

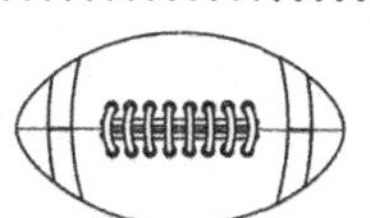

Plays 2

N	O	I	S	R	E	V	N	O	C	T	N	I	O	P	O	W	T
Y	T	Q	R	W	L	I	S	I	Q	W	H	T	Y	C	J	W	E
T	H	S	E	H	H	Z	K	H	S	Y	T	R	F	U	A	S	M
R	I	R	K	O	Z	A	D	S	H	S	A	F	M	Q	R	W	B
E	D	L	C	O	E	Y	L	C	O	M	A	P	A	E	C	R	U
B	D	F	I	K	Y	Y	X	F	L	O	B	P	V	K	E	P	F
I	E	K	L	A	D	W	C	I	B	A	R	E	P	V	E	T	G
L	N	J	F	N	I	P	A	E	L	A	R	E	E	E	B	F	L
F	B	I	A	D	H	H	E	L	R	E	C	R	L	E	E	H	I
O	A	H	E	L	X	U	T	E	L	P	S	K	A	B	X	W	L
E	L	H	L	A	S	W	O	B	T	E	F	O	P	C	M	A	S
U	L	E	F	D	I	B	U	S	P	G	A	T	Z	A	V	U	D
T	F	T	V	D	C	O	J	A	X	W	B	C	Z	Q	S	L	F
A	X	H	C	E	D	Q	S	F	A	K	E	P	U	N	T	S	T
T	E	P	G	R	Q	S	S	S	A	P	L	E	V	O	H	S	G
S	W	I	D	E	R	E	C	E	I	V	E	R	S	L	A	N	T

DOUBLE REVERSE
FAKE
FAKE PUNT
FLEA FLICKER
FUMBLEROOSKI
HAIL MARY
HALFBACK PASS
HIDDEN BALL
HOOK AND LADDER
JUMP BALL
REVERSE PASS
SHOVEL PASS
STATUE OF LIBERTY
SWEEP PASS
TWO-POINT CONVERSION
WIDE RECEIVER SLANT

Plays 3

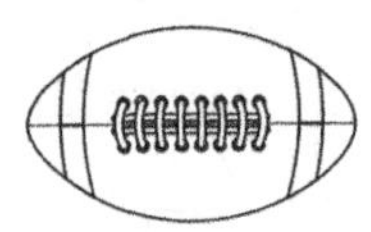

K	V	F	E	Y	D	N	U	O	R	A	D	N	E	Y
V	N	R	E	T	T	A	P	T	S	O	P	E	Z	A
P	M	M	Z	R	U	N	N	I	N	G	P	U	N	T
H	C	U	R	L	R	O	U	T	E	D	K	A	Y	U
F	A	K	E	H	A	N	D	O	F	F	V	G	X	T
S	S	A	P	N	E	E	R	C	S	U	E	P	C	O
V	J	H	J	I	F	I	E	L	D	G	O	A	L	X
T	R	I	P	L	E	T	I	G	H	T	E	N	D	S
R	C	T	N	I	C	R	E	V	E	R	S	E	P	W
P	G	H	R	D	I	B	Y	V	I	V	B	K	E	A
N	K	Z	R	G	O	P	A	T	T	E	R	N	E	R
E	K	I	P	S	E	K	A	F	Z	V	E	L	W	D
L	R	K	K	C	I	K	E	D	I	S	N	O	S	B
Z	Y	G	E	L	T	O	O	B	D	E	K	A	N	Q

CURL ROUTE
END AROUND
FAKE HANDOFF
FAKE SPIKE
FIELD GOAL
GO PATTERN
NAKED BOOTLEG
ONSIDE KICK

POST PATTERN
QB DRAW
REVERSE
RUNNING PUNT
SCREEN PASS
SWEEP
TRIPLE TIGHT ENDS

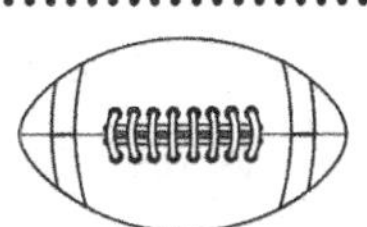

Plays 4

H	A	L	F	B	A	C	K	D	R	A	W	R	U	I	Q	G
O	Q	U	A	R	T	E	R	B	A	C	K	S	N	E	A	K
B	W	O	Y	J	L	Z	E	K	G	O	B	Q	J	Y	U	C
T	A	K	I	N	G	A	S	A	F	E	T	Y	V	R	W	B
I	R	F	K	C	I	K	B	I	U	Q	S	G	C	B	W	G
H	A	L	F	B	A	C	K	O	F	F	T	A	C	K	L	E
S	S	A	P	N	O	I	T	C	A	Y	A	L	P	B	R	N
C	R	E	S	O	G	D	N	A	H	C	T	I	H	C	P	L
F	E	X	T	R	A	P	O	I	N	T	J	I	P	W	K	I
H	C	T	I	P	K	C	A	B	G	N	I	N	N	U	R	V
O	N	O	I	T	A	M	R	O	F	Y	R	O	T	C	I	V
P	S	R	E	L	Y	H	K	C	I	K	N	I	F	F	O	C
T	C	P	D	I	R	E	C	T	S	N	A	P	N	R	M	X
I	H	G	I	E	V	I	D	K	C	A	B	L	L	U	F	Y
O	T	N	Q	K	A	M	M	G	Q	D	K	Q	U	G	J	V
N	W	J	F	G	E	H	Q	U	W	I	L	D	C	A	T	R

COFFIN KICK
DIRECT SNAP
EXTRA POINT
FULLBACK DIVE
HALFBACK DRAW
HALFBACK OFF TACKLE
HITCH AND GO
OPTION
PLAY ACTION PASS
QUARTERBACK SNEAK
RUNNING BACK PITCH
SPIKE
SQUIB KICK
TAKING A SAFETY
VICTORY FORMATION
WILDCAT

Plays 5

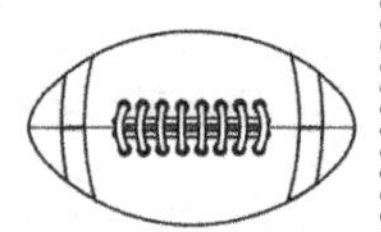

S	P	L	A	Y	A	C	T	I	O	N	O	O
L	A	T	U	O	D	N	A	E	E	R	H	T
A	G	C	R	R	T	S	H	O	T	G	U	N
R	S	U	K	A	M	R	A	F	F	I	T	S
E	I	T	N	L	J	P	H	K	F	S	D	G
T	Z	O	M	L	J	I	X	C	A	T	R	P
A	J	U	Y	O	G	C	C	I	I	K	A	L
L	T	C	L	C	E	K	Y	K	R	W	W	A
P	Z	H	Z	E	L	S	H	B	C	T	Z	Y
K	C	B	T	S	T	I	E	I	A	T	T	S
F	N	A	I	R	O	X	X	U	T	T	J	U
Y	R	C	L	O	O	G	E	Q	C	B	R	O
V	H	K	B	H	B	M	N	S	H	G	Y	G

BLITZ
BOOTLEG
DRAW
FAIR CATCH
HORSE COLLAR
LATERAL
PICK-SIX
PLAY ACTION
PLAYS
SACK
SHOTGUN
SQUIB KICK
STIFF ARM
THREE-AND-OUT
TOUCHBACK

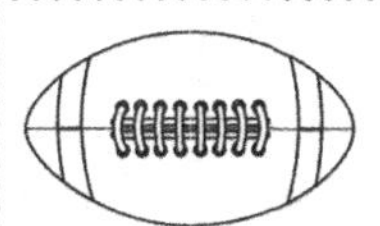

Quarterback Greats

M	A	R	I	N	O	H	G	U	A	B	E
W	U	L	M	A	H	A	R	G	Y	Q	L
W	N	Y	W	F	A	V	R	E	H	Q	W
K	Q	A	M	B	X	G	N	U	O	Y	A
K	E	S	M	A	Y	B	R	A	D	Y	Y
R	A	T	S	K	N	K	B	F	Z	N	W
R	N	A	C	R	I	N	U	R	A	K	U
A	A	U	A	F	E	A	I	M	E	N	O
T	T	B	E	J	N	G	K	N	I	E	U
S	N	A	T	B	M	C	D	T	G	X	S
X	O	C	F	A	U	F	A	O	O	J	Q
C	M	H	N	L	O	S	I	H	R	X	K

AIKMAN
BAUGH
BRADY
BREES
ELWAY
FAVRE
GRAHAM
LUCKMAN

MANNING
MARINO
MONTANA
RODGERS
STARR
STAUBACH
UNITAS
YOUNG

Rules

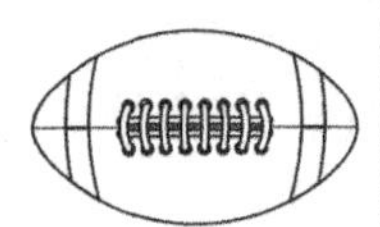

F	L	A	G	H	A	L	F	T	I	M	E
S	T	E	T	U	O	E	M	I	T	L	V
R	D	W	N	S	N	W	O	D	X	Q	K
T	J	R	E	O	P	Y	Q	P	U	B	F
U	C	Y	A	U	Z	L	B	A	N	F	D
R	O	O	N	Y	U	D	R	F	O	S	L
N	Y	T	I	O	C	T	N	K	S	D	A
O	R	V	F	N	E	F	C	E	T	P	O
V	B	U	N	R	T	I	B	Y	N	L	G
E	C	O	L	D	K	O	E	G	I	A	T
R	B	W	W	E	O	I	S	Q	O	Y	O
Z	F	J	R	P	S	L	F	S	P	S	J

COIN TOSS
DOWNS
END ZONE
FLAG
FOUL
GOAL
HALF TIME
KICK-OFF
PLAYS
POINTS
PUNT
QUARTER
RULES
TIMEOUT
TURNOVER
YARDS

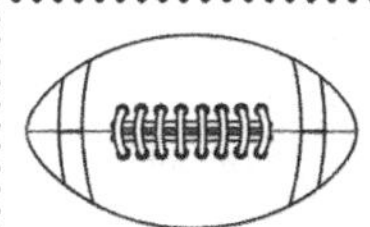

Scoring

N	J	J	K	K	Y	R	A	M	L	I	A	H
O	J	P	A	S	S	I	N	G	R	Z	I	C
I	N	F	T	E	L	B	M	U	F	N	A	T
S	X	W	M	W	U	Z	V	X	T	T	N	F
R	E	N	O	W	O	C	O	E	C	I	P	I
E	N	S	I	D	S	P	R	H	O	T	Y	R
V	D	R	C	W	H	C	O	P	F	T	A	S
N	Z	I	H	O	E	C	A	I	E	M	X	T
O	O	S	M	P	R	R	U	F	N	G	W	D
C	N	P	T	J	T	I	A	O	U	T	P	O
N	E	I	F	X	W	S	N	D	T	D	O	W
U	O	L	E	D	L	F	T	G	P	M	K	N
N	T	X	L	F	I	E	L	D	G	O	A	L

CATCH
CONVERSION
END ZONE
EXTRA POINT
FIELD GOAL
FIRST DOWN
FUMBLE
HAIL MARY
INTERCEPTION
PASSING
SAFETY
SCORING
TOUCHDOWN
TWO-POINT
WIN

Game Day Snacks

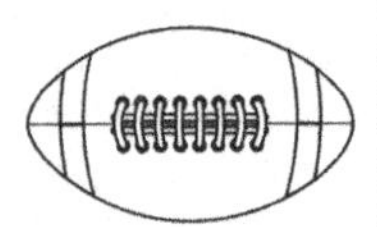

C	P	G	U	A	C	A	M	O	L	E	S
H	O	S	M	P	T	S	Z	S	C	E	R
E	P	S	P	K	C	K	E	G	H	S	E
E	P	G	E	I	Z	C	R	K	I	A	D
S	E	N	W	W	D	A	E	X	P	L	I
E	R	I	Y	W	I	N	E	L	S	S	L
B	S	W	B	G	S	S	B	U	E	A	S
A	S	E	I	R	F	H	C	N	E	R	F
L	I	C	N	T	K	N	Q	A	D	O	S
L	V	I	E	A	Z	Z	I	P	Y	Y	T
S	N	R	N	S	L	E	Z	T	E	R	P
P	U	N	C	H	W	N	A	C	H	O	S

BEER
CHEESE BALLS
CHIPS
DIPS
FRENCH FRIES
GUACAMOLE
NACHOS
PIZZA
POPPERS
PRETZELS
PUNCH
SALSA
SLIDERS
SNACKS
SODA
WINGS

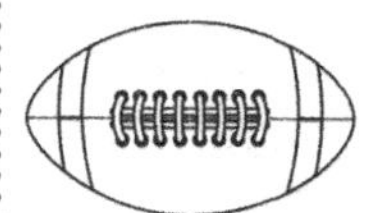

Special Teams

R	S	S	I	N	S	K	B	E	B	G	A	F
E	L	H	P	Z	K	Y	U	L	L	L	F	I
P	I	L	I	E	W	I	O	R	A	P	F	R
P	O	F	A	T	C	C	C	O	P	R	O	S
A	Q	P	M	B	K	I	G	K	E	O	K	T
N	F	P	O	I	T	D	A	D	E	N	C	D
S	A	M	N	R	L	O	L	L	G	R	I	O
G	T	G	E	E	D	O	O	E	T	M	K	W
N	T	S	I	A	H	Y	U	F	Y	E	Q	N
O	E	F	G	N	I	P	P	A	N	S	A	A
L	M	Z	T	E	E	U	A	X	W	D	Z	M
T	P	K	I	C	K	R	E	T	U	R	N	A
V	T	R	E	T	N	U	P	L	T	V	A	K

ATTEMPT
BLOCKING
DROP
FIELD GOAL
FIRST DOWN
FOOTBALL
HOLDER
KICK RETURN
KICKER
KICKOFF
LONG SNAPPER
PUNTER
SNAPPING
SPECIAL TEAM
TEE

At the Game

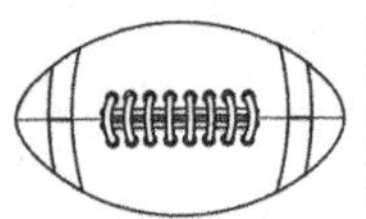

C	H	E	E	R	L	E	A	D	E	R	S	R	B
R	T	G	N	M	H	A	U	M	B	E	U	L	S
O	A	H	S	R	Z	A	U	S	S	E	E	E	E
O	I	Y	O	Z	O	I	L	H	T	A	E	S	A
D	L	H	I	T	D	H	R	F	C	H	K	R	T
T	G	P	J	A	D	B	L	H	T	Y	G	N	S
U	A	L	T	Y	J	O	E	L	B	I	W	I	S
O	T	S	U	O	W	R	G	O	U	W	M	N	L
E	E	U	Q	Y	S	R	X	S	F	B	Z	E	C
M	E	H	T	N	A	L	A	N	O	I	T	A	N
O	Y	S	N	A	F	L	U	S	I	N	H	G	B
B	E	X	W	X	N	B	P	A	A	Y	B	W	D
B	V	E	G	A	M	E	D	A	Y	M	Q	C	Q

BEER
BLEACHERS
BULLHORN
CHEERLEADERS
FANS
GAME DAY
HALF TIME
HOT DOGS
LIGHTS
NATIONAL ANTHEM
OUTDOOR
PIZZA
SEATS
SKYBOX
STADIUM
TAILGATE

Stadiums

K	Z	Z	F	I	R	S	T	E	N	E	R	G	Y	H
T	D	L	N	D	L	E	I	F	A	R	E	W	E	N
V	R	I	F	E	W	P	Y	L	M	N	D	U	A	A
D	K	S	G	U	B	W	A	P	A	A	P	C	F	E
L	N	T	F	N	A	S	W	U	E	M	I	F	M	Q
E	A	A	P	X	I	F	E	H	L	R	B	P	E	T
I	B	T	J	D	V	T	W	D	E	B	O	E	I	A
F	T	E	U	E	L	O	Y	M	E	W	R	A	A	Q
R	D	F	B	W	R	E	A	H	E	C	A	O	O	U
E	N	A	T	R	V	F	I	R	E	B	R	R	W	N
I	A	R	A	H	O	P	F	F	A	A	C	E	K	N
D	M	M	N	K	B	I	V	N	D	U	L	M	M	N
L	J	D	N	D	E	H	K	I	G	R	X	T	I	H
O	Q	A	P	L	I	A	T	T	G	C	O	O	H	M
S	B	B	D	L	U	C	A	S	O	I	L	F	K	X

ARROWHEAD
AT&T
BANK OF AMERICA
DIGNITY HEALTH
EMPOWER FIELD
FIRST ENERGY
FORD FIELD
LAMBEAU
LUCAS OIL
M AND T BANK
MERCEDES-BENZ
NEW ERA FIELD
PAUL BROWN
SOLDIER FIELD
STATE FARM
TIAA BANK

Stadiums 2

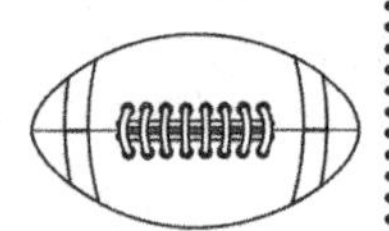

J	R	D	S	U	S	B	A	N	K	A	D	G	W	J	S	E	E	B
Q	B	R	C	X	E	K	A	Z	S	D	U	C	Z	B	Z	H	Z	L
D	L	E	I	F	X	E	D	E	F	M	R	X	B	M	F	D	G	E
N	R	C	D	S	M	D	C	X	Q	L	H	L	C	J	Q	D	D	V
W	V	L	I	N	C	O	L	N	F	I	N	A	N	C	I	A	L	I
S	E	M	A	J	D	N	O	M	Y	A	R	M	N	Y	E	F	K	S
N	E	S	A	K	N	I	L	Y	R	U	T	N	E	C	K	K	C	S
I	F	L	T	M	N	Y	H	E	I	N	Z	F	I	E	L	D	O	T
S	I	T	A	V	K	T	V	Z	S	P	H	K	E	K	I	Q	R	A
S	L	E	M	O	D	R	E	P	U	S	L	W	Q	U	N	L	D	D
A	T	A	K	M	L	A	M	E	M	O	R	I	A	L	K	P	R	I
N	E	L	M	B	K	F	L	T	E	Y	K	J	O	M	T	J	A	U
H	M	S	M	Y	V	V	E	H	D	S	R	E	G	F	I	B	H	M
M	U	E	S	I	L	O	C	L	A	R	T	N	E	C	G	N	I	R
Y	G	I	L	L	E	T	T	E	S	T	A	D	I	U	M	V	L	J

CENTURYLINK
FEDEX FIELD
GILLETTE STADIUM
HARD ROCK
HEINZ FIELD
LA MEMORIAL
LEVI'S STADIUM
LINCOLN FINANCIAL
METLIFE
NISSAN
RAYMOND JAMES
RINGCENTRAL COLISEUM
SUPERDOME
U.S. BANK

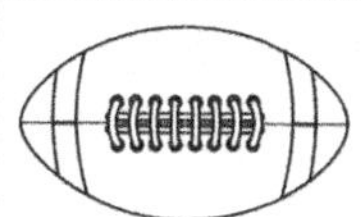

Tailgating

T	K	S	K	S	R	A	C	I	Q	A	Z
A	G	J	O	G	V	Y	N	F	O	O	D
I	N	L	B	D	T	V	M	Y	W	H	F
L	I	S	A	R	S	D	N	E	I	R	F
G	K	L	A	W	V	C	E	J	F	K	C
A	O	P	L	V	N	U	I	A	K	G	I
T	O	F	Y	I	C	C	M	N	A	O	S
I	C	U	B	E	R	I	H	M	C	V	U
N	C	N	B	E	L	G	E	A	Z	I	M
G	C	R	W	Y	E	S	J	V	I	E	P
Z	A	Q	Z	U	D	R	V	N	N	R	R
B	F	M	X	J	T	R	U	C	K	S	D

BARBECUE
BEER
CARS
COOKING
FAMILY
FOOD
FRIENDS
FUN

GAMES
GRILL
LAWN CHAIR
MUSIC
PARTY
PICNIC
TAILGATING
TRUCKS

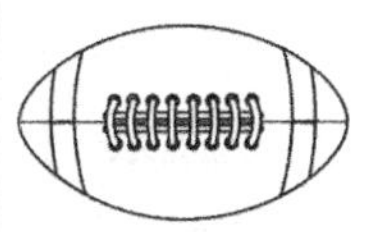

Answers

1

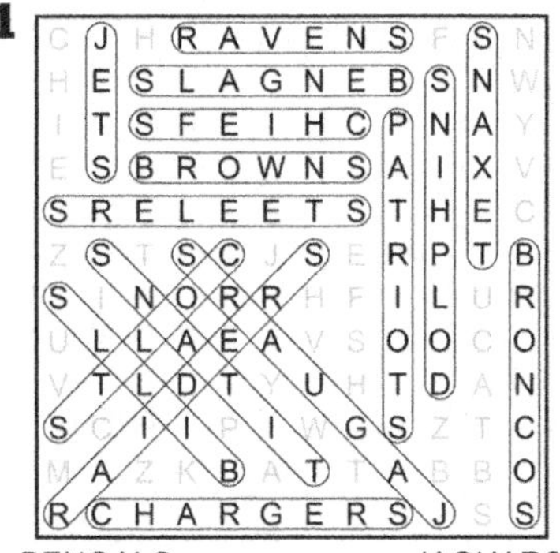

BENGALS
BILLS
BRONCOS
BROWNS
CHARGERS
CHIEFS
COLTS
DOLPHINS
JAGUARS
JETS
PATRIOTS
RAIDERS
RAVENS
STEELERS
TEXANS
TITANS

2

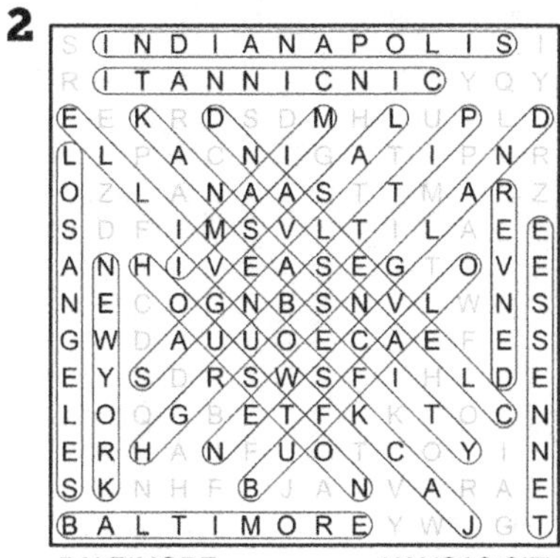

BALTIMORE
BUFFALO
CINCINNATI
CLEVELAND
DENVER
HOUSTON
INDIANAPOLIS
JACKSONVILLE
KANSAS CITY
LAS VEGAS
LOS ANGELES
MIAMI
NEW ENGLAND
NEW YORK
PITTSBURGH
TENNESSEE

3

ARIZONA
CARDINALS
CLAY
DRAKE
FITZGERALD
ISABELLA
JOHNSON
JONES
KINGSBURY
KIRK
MURRAY
PETERSON
REED
SHIPLEY
SUGGS

4

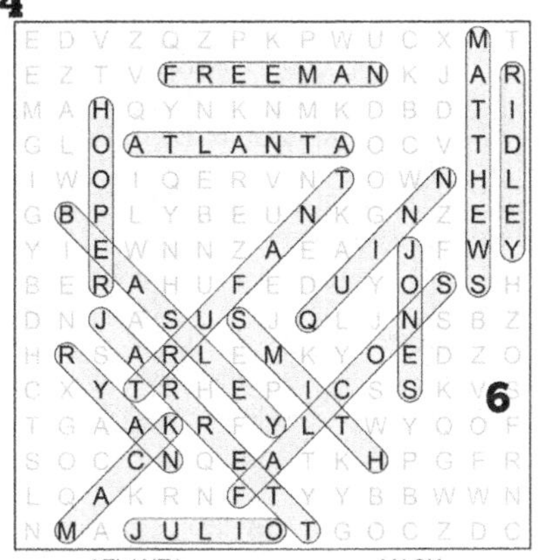

ATLANTA
BEASLEY
FALCONS
FREEMAN
HOOPER
JARRETT
JONES
JULIO
MACK
MATTHEWS
QUINN
RIDLEY
RYAN
SMITH
TRUFANT

5

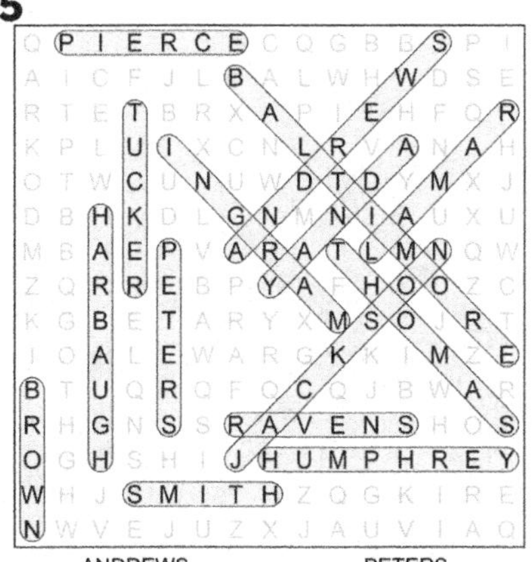

ANDREWS
BALTIMORE
BROWN
HARBAUGH
HUMPHREY
INGRAM
JACKSON
LAMAR
PETERS
PIERCE
RAVENS
SMITH
THOMAS
TUCKER
YANDA

6

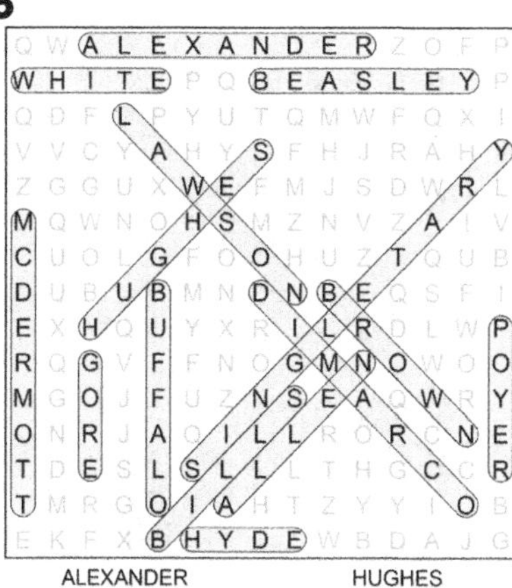

ALEXANDER
ALLEN
BEASLEY
BILLS
BROWN
BUFFALO
DIMARCO
GORE
HUGHES
HYDE
LAWSON
MCDERMOTT
POYER
SINGLETARY
WHITE

7

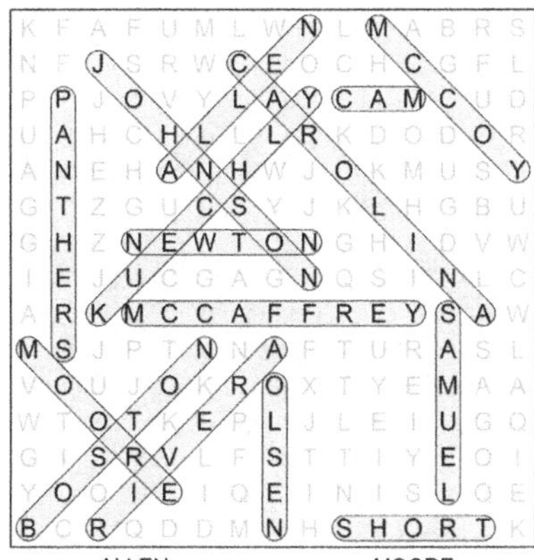

ALLEN
BOSTON
CAM
CAROLINA
JOHNSON
KUECHLY
MCCAFFREY
MCCOY
MOORE
NEWTON
OLSEN
PANTHERS
RIVERA
SAMUEL
SHORT

8

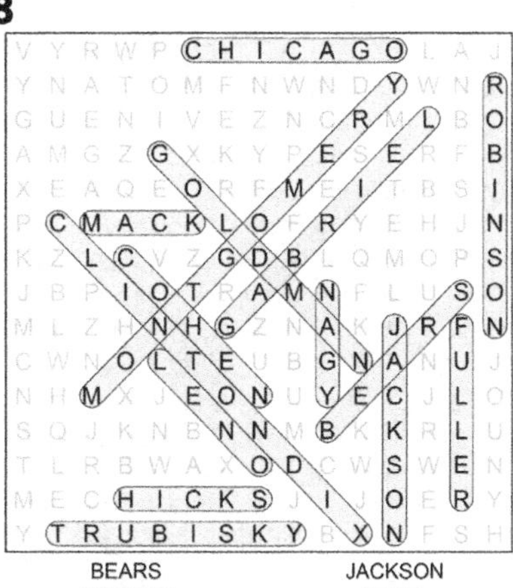

BEARS
CHICAGO
CLINTON DIX
COHEN
FULLER
GABRIEL
GOLDMAN
HICKS
JACKSON
LENO
MACK
MONTGOMERY
NAGY
ROBINSON
TRUBISKY

9

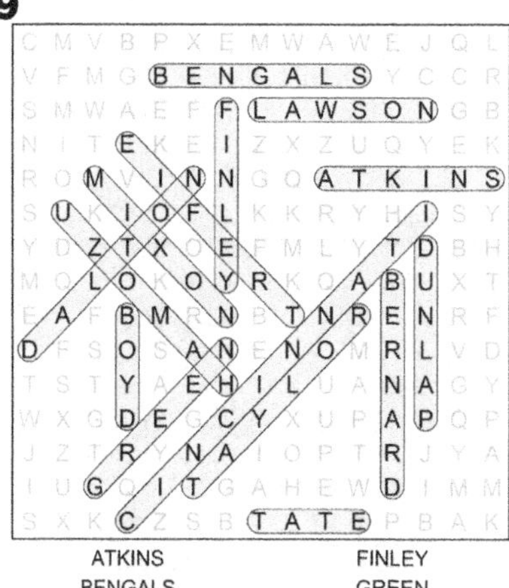

ATKINS
BENGALS
BERNARD
BOYD
CINCINNATI
DALTON
DUNLAP
EIFERT
FINLEY
GREEN
LAWSON
MIXON
TATE
TAYLOR
UZOMAH

Answers

10

BECKHAM
BITONIO
BROWNS
CHUBB
CLEVELAND
GARRETT
HUNT
KITCHENS
LANDRY
MAYFIELD
NJOKU
RANDALL
RICHARDSON
VERNON
WARD

11

COOPER
COWBOYS
DAK
DALLAS
ELLIOTT
FREDERICK
GALLUP
GARRETT
JONES
LAWRENCE
MARTIN
PRESCOTT
SMITH
VANDER ESCH
WITTEN

12

ALLEN
ATTAOCHU
BRONCOS
CALLAHAN
DENVER
FANGIO
FLACCO
FREEMAN
HARRIS
JACKSON
LEARY
LINDSAY
MCMANUS
MILLER
WOLFE

13

CORNERBACK
DEFENSE
ENDS
FREE SAFETY
INSIDE
LINE
LINEBACKER
MIDDLE
OUTSIDE
PLAYERS
STRONG SAFETY
TACKLES

14

DIME
FIELD GOAL
FIRST DOWN
FUMBLE
GROUNDING
HUDDLE
LATERAL
NICKEL
ONSIDE KICK
POCKET
PREVENT
PRO BOWL
RED ZONE
SACK
SNEAK

15

ADAMS
ALEXANDER
ALLISON
AMOS
BAKHTIARI
BULAGA
CLARK
CROSBY
GRAHAM
GREEN BAY
JONES
LAFLEUR
PACKERS
RODGERS
SMITH

16

DICKERSON
KRAUSE
LONG
LOTT
MACK
MCDONALD
MONTANA
MUNOZ
NEWSOME
ROONEY
SHAW
SINGLETARY
STEPHENSON
TAYLOR
WILCOX

17

ALLEN
BETHEA
BUONICONTI
CASPER
DELAMIELLEURE
HAMPTON
KELLY
LEVY
LOFTON
MUNCHAK
SLATER
STALLWORTH
SWANN
YARY
YOUNGBLOOD

18

AIKMAN
BROWN
CARSON
ELLER
ELWAY
FRIEDMAN
LOFTON
MADDEN
MARINO
MOON
POLLARD
SANDERS
STRAM
WHITE
YOUNG

Answers

19

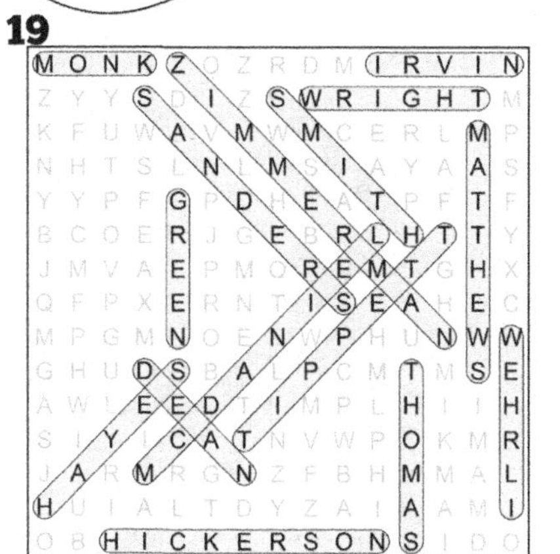

DEAN
GREEN
HAYES
HICKERSON
IRVIN
MATTHEWS
MCDANIEL
MONK
SANDERS
SMITH
THOMAS
TIPPETT
WEHRLI
WRIGHT
ZIMMERMAN

20

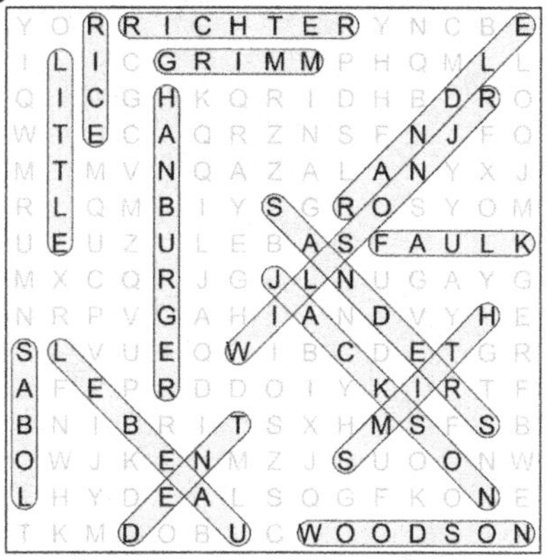

DENT
FAULK
GRIMM
HANBURGER
JACKSON
LEBEAU
LITTLE
RANDLE
RICE
RICHTER
SABOL
SANDERS
SMITH
WILSON JR
WOODSON

21

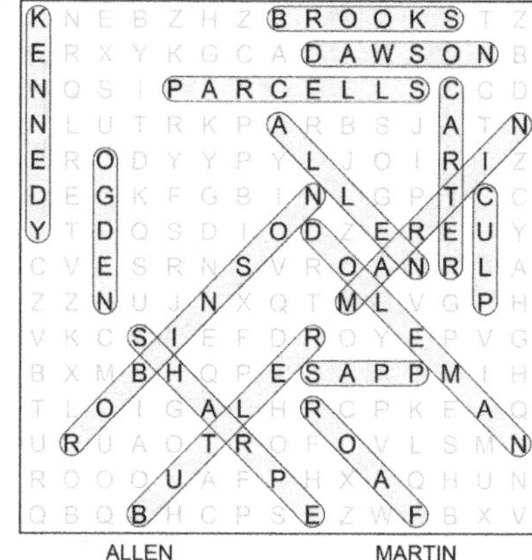

ALLEN
BROOKS
BUTLER
CARTER
CULP
DAWSON
DOLEMAN
KENNEDY
MARTIN
OGDEN
PARCELLS
ROAF
ROBINSON
SAPP
SHARPE

22

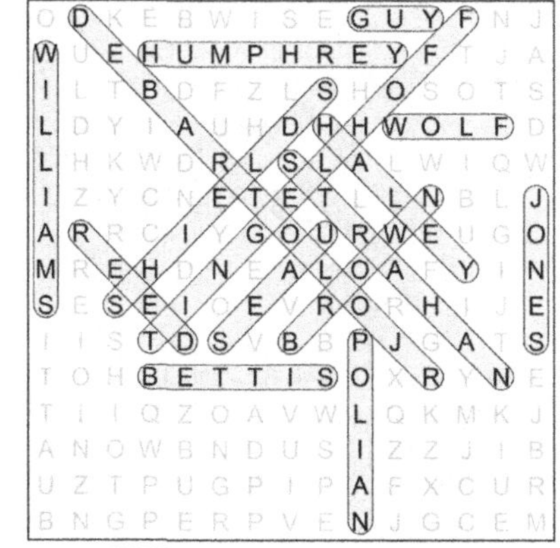

BETTIS
BROWN
DEBARTOLO JR
GUY
HALEY
HUMPHREY
JONES
POLIAN
REED
SEAU
SHIELDS
STRAHAN
TINGELHOFF
WILLIAMS
WOLF

23

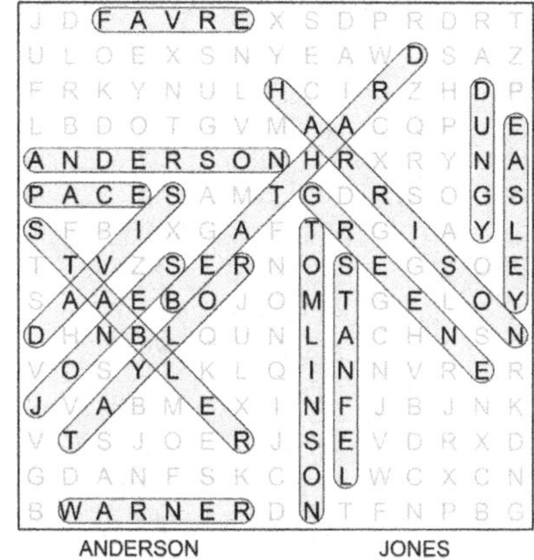

ANDERSON
BEATHARD
DAVIS
DUNGY
EASLEY
FAVRE
GREENE
HARRISON
JONES
PACE
STABLER
STANFEL
TAYLOR
TOMLINSON
WARNER

24

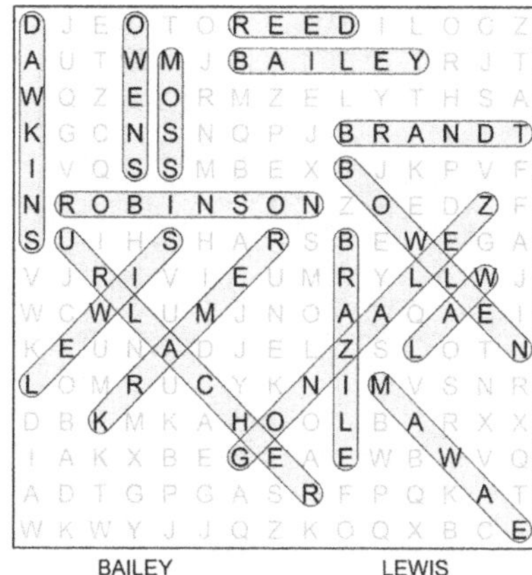

BAILEY
BOWLEN
BRANDT
BRAZILE
DAWKINS
GONZALEZ
KRAMER
LAW
LEWIS
MAWAE
MOSS
OWENS
REED
ROBINSON
URLACHER

25

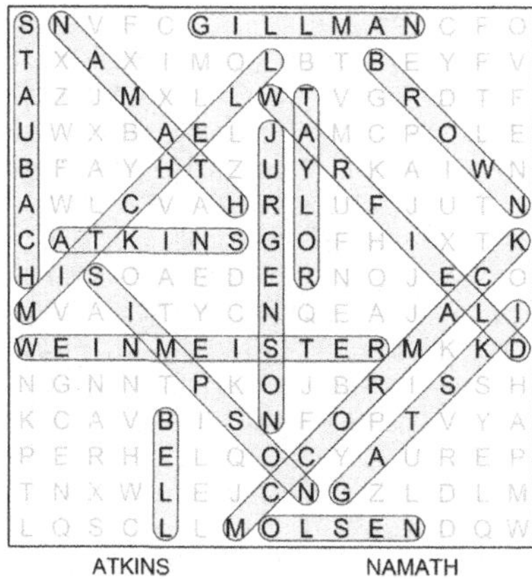

ATKINS
BELL
BROWN
GATSKI
GILLMAN
JURGENSON
MCCORMACK
MITCHELL
NAMATH
OLSEN
SIMPSON
STAUBACH
TAYLOR
WARFIELD
WEINMEISTER

26

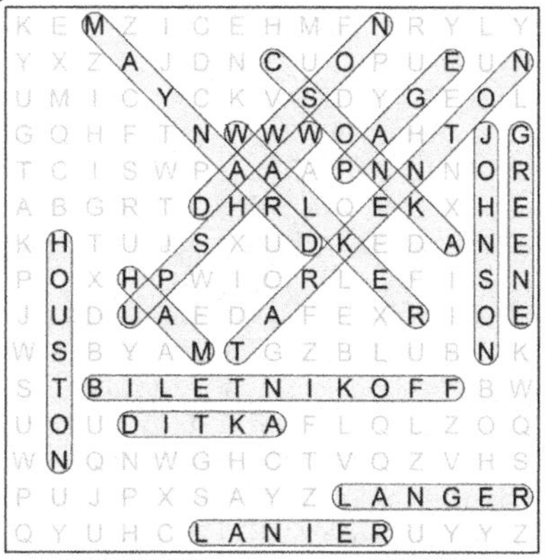

BILETNIKOFF
CSONKA
DAWSON
DITKA
GREENE
HAM
HOUSTON
JOHNSON
LANGER
LANIER
MAYNARD
PAGE
TARKENTON
UPSHAW
WALKER

27

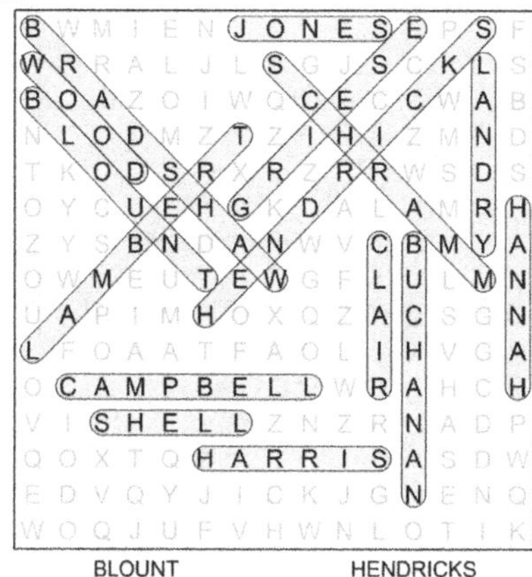

BLOUNT
BRADSHAW
BUCHANAN
CAMPBELL
CLAIR
GRIESE
HANNAH
HARRIS
HENDRICKS
JONES
LAMBERT
LANDRY
SCHRAMM
SHELL
WOOD

Answers

28

BARNEY
DAVIS
DORSETT
FOUTS
GRANT
JOHNSON
KELLY
LITTLE
MACKEY
NOLL
PAYTON
RIGGINS
SMITH
STENERUD
WALSH

29

CREEKMUR
DIERDORF
FINKS
GIBBS
HAYNES
JOINER
JORDAN
LARGENT
MARA
RENFRO
ROY SELMON
SHULA
WEBSTER
WHITE
WINSLOW

30

FULLER
GIPSON
HOPKINS
HOUSTON
HYDE
JOSEPH
MCKINNEY
MERCILUS
OBRIEN
REID
STILLS
TEXANS
TUNSIL
WATSON
WATT

31

BRISSETT
CASTONZO
COLTS
DESIR
DOYLE
EBRON
HILTON
HOOKER
HOUSTON
INDIANAPOLIS
LEONARD
MACK
NELSON
REICH
SHEARD

32

BOUYE
CAMPBELL
CHARK
FOLES
FOURNETTE
JACK
JACKSONVILLE
JAGUARS
LINDER
MARRONE
MINSHEW
NGAKOUE
NORWELL
WESTBROOK

33

BUTKER
CHIEFS
CLARK
FULLER
HARDMAN
HILL
KANSAS CITY
KELCE
MAHOMES
MATHIEU
MCCOY
REID
ROBINSON
WATKINS
WILLIAMS

34

ALLEN
BOSA
CHARGERS
DAVIS
EKELER
GORDON
HAYWARD
HENRY
INGRAM
KING
LOS ANGELES
LYNN
POUNCEY
RIVERS
WILLIAMS

35

BROCKERS
COOKS
DONALD
GOFF
GURLEY
KUPP
LOS ANGELES
MCVAY
RAMS
RAMSEY
ROBEY
TALIB
WEDDLE
WHITWORTH
WOODS

36

BAKER
CARLOCK
CHARLTON
DEITER
DOLPHINS
FITZPATRICK
FLORES
HOWARD
JONES
MIAMI
PARKER
PRINCE
ROSEN
WILKINS
WILSON

Answers

37

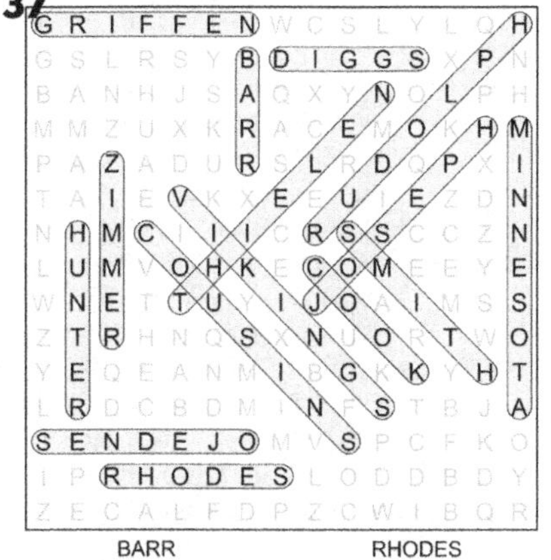

BARR
COOK
COUSINS
DIGGS
GRIFFEN
HUNTER
JOSEPH
MINNESOTA
RHODES
RUDOLPH
SENDEJO
SMITH
THIELEN
VIKINGS
ZIMMER

38

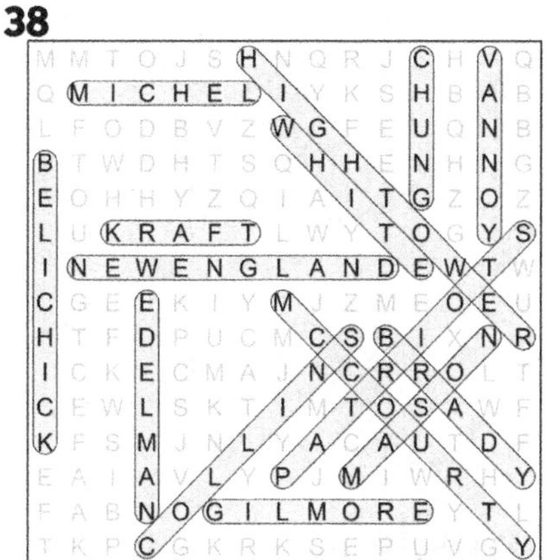

BELICHICK
BRADY
CHUNG
COLLINS
EDELMAN
GILMORE
HIGHTOWER
KRAFT
MASON
MCCOURTY
MICHEL
NEW ENGLAND
PATRIOTS
VAN NOY
WHITE

39

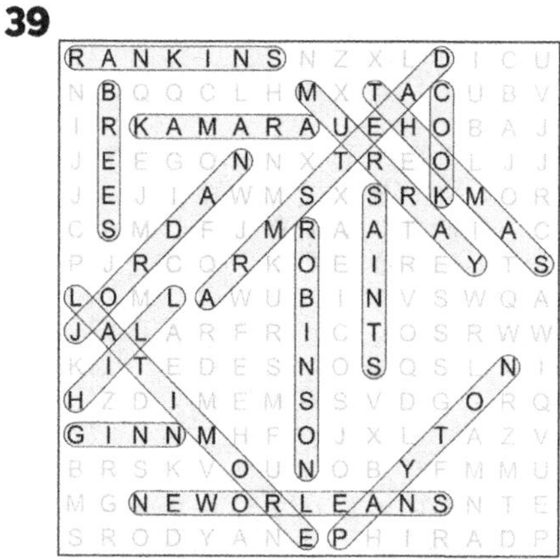

ARMSTEAD
BREES
COOK
GINN
HILL
JORDAN
KAMARA
LATIMORE
MURRAY
NEW ORLEANS
PAYTON
RANKINS
ROBINSON
SAINTS
THOMAS

40

ADAMS
ANDERSON
BELL
CROWDER
DARNOLD
GASE
JETS
JOHNSON
MAYE
MOSLEY
NEW YORK
ROBERTS
THOMAS
WILLIAMS
WINTERS

41

BEARS
BUCCANEERS
CARDINALS
COWBOYS
EAGLES
FALCONS
FORTY-NINERS
GIANTS
LIONS
PACKERS
PANTHERS
RAMS
REDSKINS
SAINTS
SEAHAWKS
VIKINGS

42

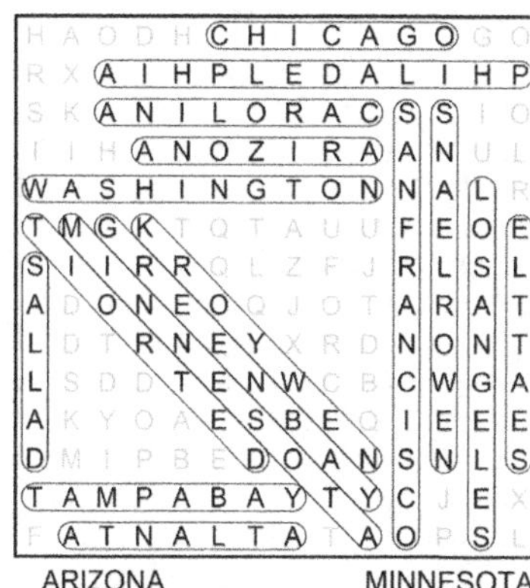

ARIZONA
ATLANTA
CAROLINA
CHICAGO
DALLAS
DETROIT
GREEN BAY
LOS ANGELES
MINNESOTA
NEW ORLEANS
NEW YORK
PHILADELPHIA
SAN FRANCISCO
SEATTLE
TAMPA BAY
WASHINGTON

43

FANGIO
FLORES
KINGSBURY
KITCHENS
LAFLEUR
LYNN
MARRONE
MCDERMOTT
NAGY
PATRICIA
PEDERSON
QUINN
SHANAHAN
SHURMUR
TAYLOR

44

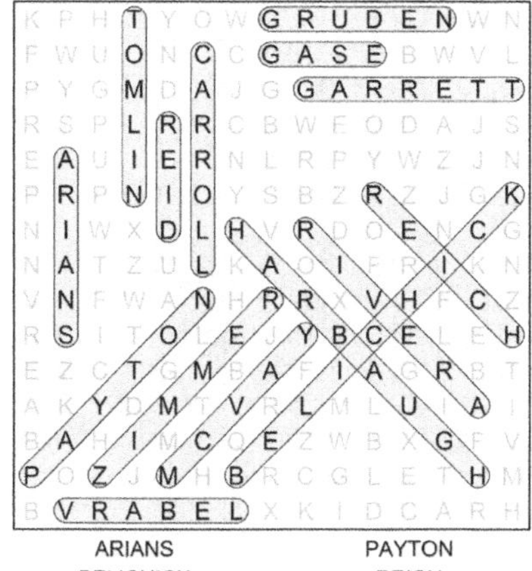

ARIANS
BELICHICK
CARROLL
GARRETT
GASE
GRUDEN
HARBAUGH
MCVAY
PAYTON
REICH
REID
RIVERA
TOMLIN
VRABEL
ZIMMER

45

BROWN
CARR
GRUDEN
HUDSON
INCOGNITO
JACKSON
JACOBS
JORDAN
JOYNER
OAKLAND
RAIDERS
SMITH
SWEARINGER
WALLER
WILLIAMS

Answers

46

CENTER
FULLBACK
HALFBACK
LEFT GUARD
LEFT TACKLE
LINEMEN
OFFENSE
PASS CATCHER
PLAYERS
QUARTERBACK
RIGHT GUARD
RIGHT TACKLE
RUNNING BACK
TIGHT END
WIDE RECEIVER

47

AGHOLOR
BROOKS
COX
EAGLES
ERTZ
FOLES
GRAHAM
JEFFREY
JENKINS
JOHNSON
KELCE
PEDERSON
PETERS
PHILADELPHIA
WENTZ

48

BOSWELL
CONNER
DECASTRO
FITZPATRICK
HEYWARD
MCDONALD
PITTSBURGH
POUNCEY
ROETHLISBERGER
RUDOLPH
SCHUSTER
STEELERS
TOMLIN
VILLANUEVA
WATT

49

BLIND SIDE
BLITZ
BLOCK
CHECK DOWN
COUNTER
DRAW
FLEA FLICKER
HAIL MARY
PASS
PLAY ACTION
POST
RUN
SCREEN
SLANT
TOSS

50

BOSA
BREIDA
BUCKNER
COLEMAN
FORD
GAROPPOLO
GOULD
JUSZCZYK
KITTLE
SAMUEL
SAN FRANCISCO
SANDERS
SHANAHAN
SHERMAN
STALEY

51

ANSAH
BROWN
CARSON
CLOWNEY
FLOWERS
GORDON
GRIFFIN
KENDRICKS
LOCKETT
MCDOUGALD
MOORE
SEAHAWKS
SEATTLE
WAGNER
WILSON

52

CHAMPIONS
COMMERCIALS
EMOTIONS
EXCITEMENT
FANS
PASS
SCORE
SNACKS
STADIUM
SUNDAY
SUPER BOWL
SUSPENSE
TACKLE
TELEVISION
TOUCHDOWN
TROPHY

53

ARIANS
BARBER
BARRETT
BUCCANEERS
DAVID
DOTSON
EVANS
GODWIN
HOWARD
JONES
MARPET
SUH
TAMPA BAY
VEA
WINSTON

54

BUTLER
BYARD
CASEY
DAVIS
HENRY
LEWAN
LEWIS
MARIOTA
RYAN
SAFFOLD
TANNEHILL
TENNESSEE
TITANS
VRABEL
WALKER

Answers

55

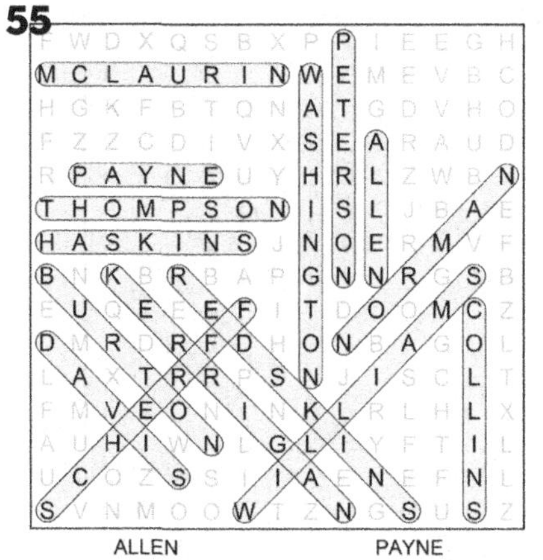

ALLEN
BURTON
COLLINS
DAVIS
HASKINS
KERRIGAN
MCLAURIN
NORMAN
PAYNE
PETERSON
REDSKINS
SCHERFF
THOMPSON
WASHINGTON
WILLIAMS

56

ATHLETES
BEST AVAILABLE
BIG ARM
ELIGIBLE
FRANCHISE
FREAK
HOST CITY
MEDIA
NFL DRAFT
PICKS
PLAYERS
PROSPECT
ROUND
SCHEDULE
SELECTION
TRADES

57

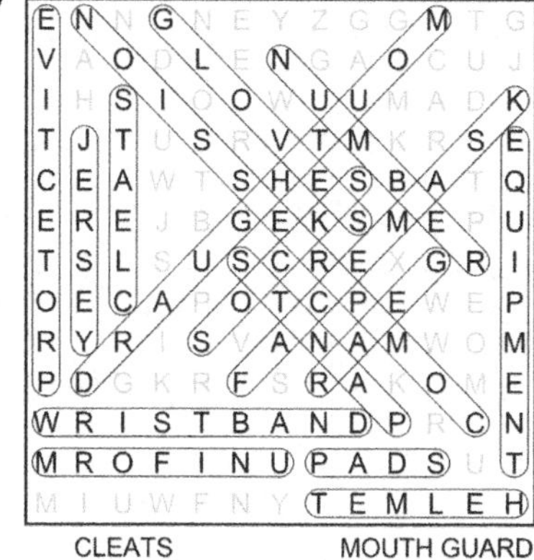

CLEATS
COMPRESSION
EQUIPMENT
FACEMASK
GEAR
GLOVES
HELMET
JERSEY
MOUTH GUARD
NUMBER
PADS
PANTS
PROTECTIVE
SOCKS
UNIFORM
WRISTBAND

58

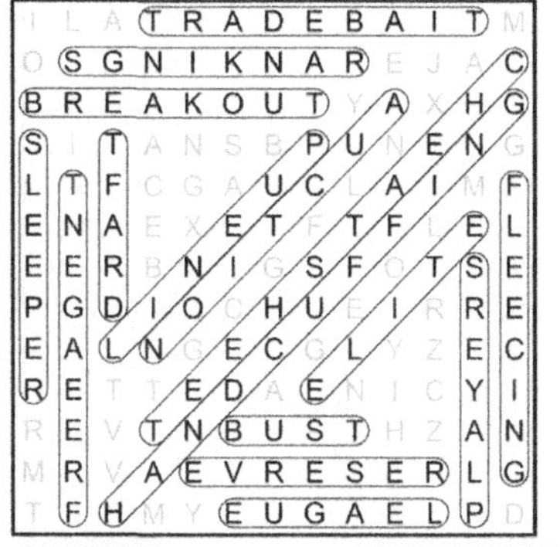

AUCTION
BREAKOUT
BUST
CHEAT SHEET
DRAFT
ELITE
FLEECING
FREE AGENT
HANDCUFFING
LEAGUE
LINEUP
PLAYERS
RANKINGS
RESERVE
SLEEPER
TRADE BAIT

59

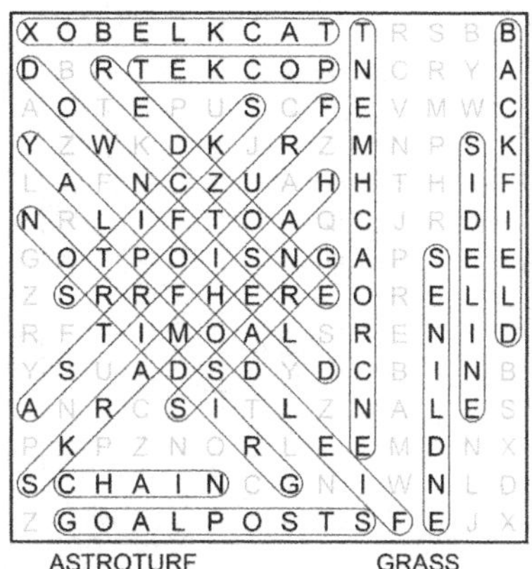

ASTROTURF
BACKFIELD
CHAIN
DOWNFIELD
ENCROACHMENT
END LINES
FIELD OF PLAY
GOALPOSTS
GRASS
GRIDIRON
HASHMARKS
POCKET
RED ZONE
SIDELINE
STICKS
TACKLE BOX

60

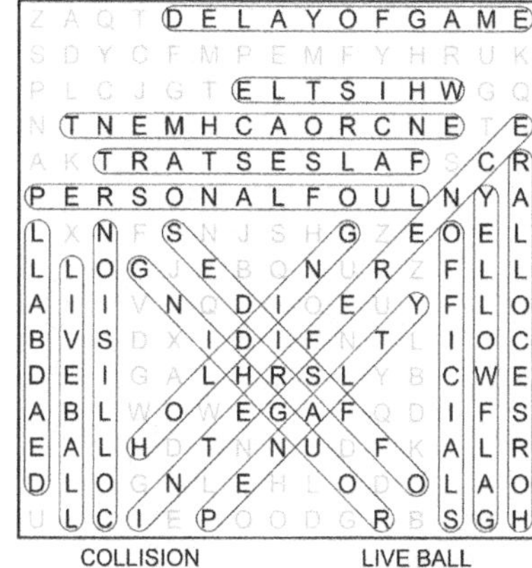

COLLISION
DEAD BALL
DELAY OF GAME
ENCROACHMENT
FALSE START
HOLDING
HORSE COLLAR
INTERFERENCE
LIVE BALL
OFFICIALS
OFFSIDES
PENALTY
PERSONAL FOUL
ROUGHING
WHISTLE
YELLOW FLAG

61

BRACKETS
CHAMPION
CONFERENCE
DIVISION
HOME FIELD
MATCH UP
PLAYOFFS
QUALIFY
RECORD
ROUNDS
SEEDING
TOURNAMENT
WILD CARD
WINNERS

62

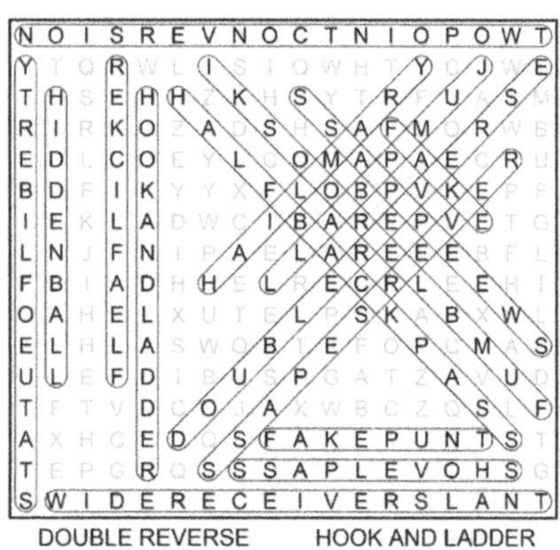

DOUBLE REVERSE
FAKE
FAKE PUNT
FLEA FLICKER
FUMBLEROOSKI
HAIL MARY
HALFBACK PASS
HIDDEN BALL
HOOK AND LADDER
JUMP BALL
REVERSE PASS
SHOVEL PASS
STATUE OF LIBERTY
SWEEP PASS
TWO-POINT CONVERSION
WIDE RECEIVER SLANT

63

CURL ROUTE
END AROUND
FAKE HANDOFF
FAKE SPIKE
FIELD GOAL
GO PATTERN
NAKED BOOTLEG
ONSIDE KICK
POST PATTERN
QB DRAW
REVERSE
RUNNING PUNT
SCREEN PASS
SWEEP
TRIPLE TIGHT ENDS

Answers

64

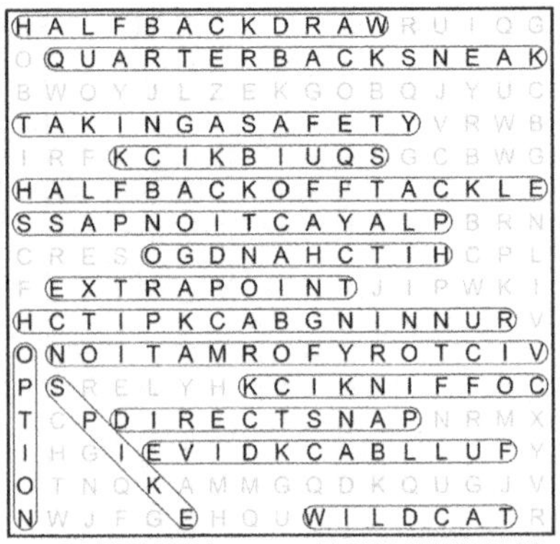

- COFFIN KICK
- DIRECT SNAP
- EXTRA POINT
- FULLBACK DIVE
- HALFBACK DRAW
- HALFBACK OFF TACKLE
- HITCH AND GO
- OPTION
- PLAY ACTION PASS
- QUARTERBACK SNEAK
- RUNNING BACK PITCH
- SPIKE
- SQUIB KICK
- TAKING A SAFETY
- VICTORY FORMATION
- WILDCAT

65

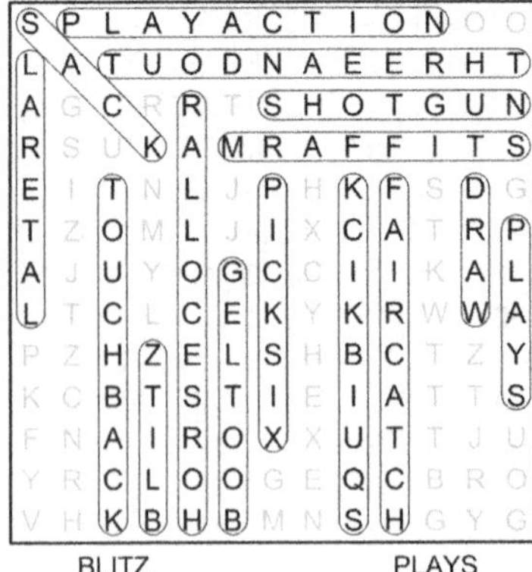

- BLITZ
- BOOTLEG
- DRAW
- FAIR CATCH
- HORSE COLLAR
- LATERAL
- PICK-SIX
- PLAY ACTION
- PLAYS
- SACK
- SHOTGUN
- SQUIB KICK
- STIFF ARM
- THREE-AND-OUT
- TOUCHBACK

66

- AIKMAN
- BAUGH
- BRADY
- BREES
- ELWAY
- FAVRE
- GRAHAM
- LUCKMAN
- MANNING
- MARINO
- MONTANA
- RODGERS
- STARR
- STAUBACH
- UNITAS
- YOUNG

67

- COIN TOSS
- DOWNS
- END ZONE
- FLAG
- FOUL
- GOAL
- HALF TIME
- KICK-OFF
- PLAYS
- POINTS
- PUNT
- QUARTER
- RULES
- TIMEOUT
- TURNOVER
- YARDS

68

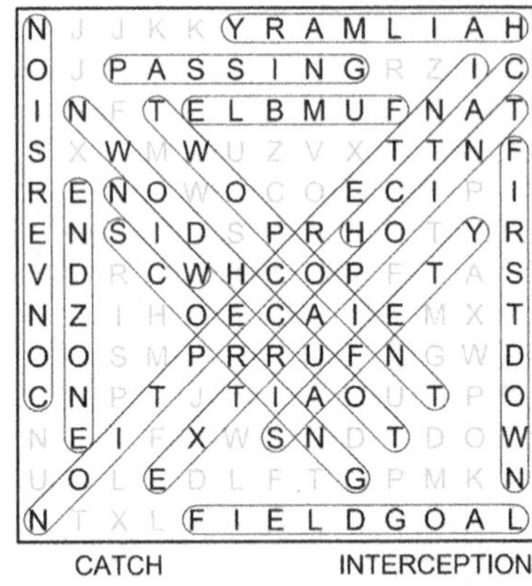

- CATCH
- CONVERSION
- END ZONE
- EXTRA POINT
- FIELD GOAL
- FIRST DOWN
- FUMBLE
- HAIL MARY
- INTERCEPTION
- PASSING
- SAFETY
- SCORING
- TOUCHDOWN
- TWO-POINT
- WIN

69

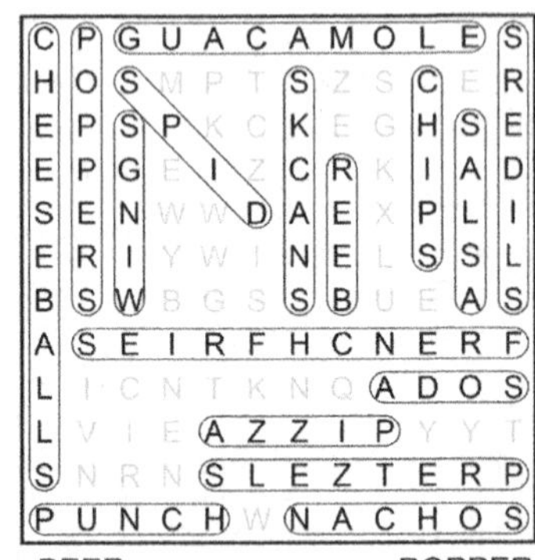

- BEER
- CHEESE BALLS
- CHIPS
- DIPS
- FRENCH FRIES
- GUACAMOLE
- NACHOS
- PIZZA
- POPPERS
- PRETZELS
- PUNCH
- SALSA
- SLIDERS
- SNACKS
- SODA
- WINGS

70

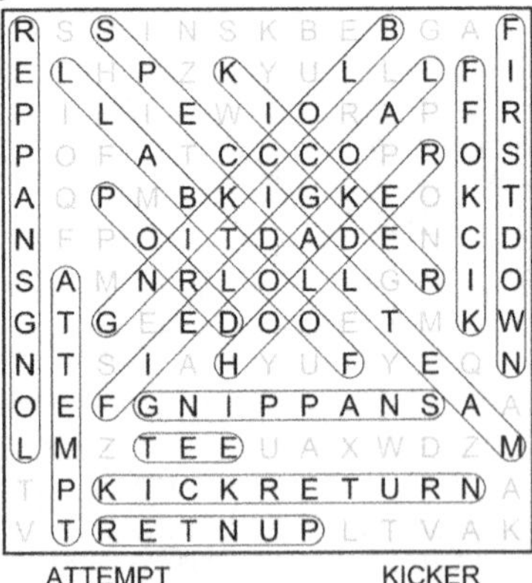

- ATTEMPT
- BLOCKING
- DROP
- FIELD GOAL
- FIRST DOWN
- FOOTBALL
- HOLDER
- KICK RETURN
- KICKER
- KICKOFF
- LONG SNAPPER
- PUNTER
- SNAPPING
- SPECIAL TEAM
- TEE

71

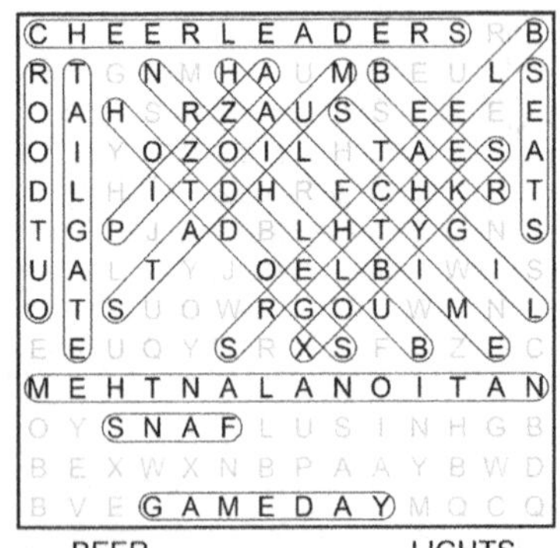

- BEER
- BLEACHERS
- BULLHORN
- CHEERLEADERS
- FANS
- GAME DAY
- HALF TIME
- HOT DOGS
- LIGHTS
- NATIONAL ANTHEM
- OUTDOOR
- PIZZA
- SEATS
- SKYBOX
- STADIUM
- TAILGATE

73

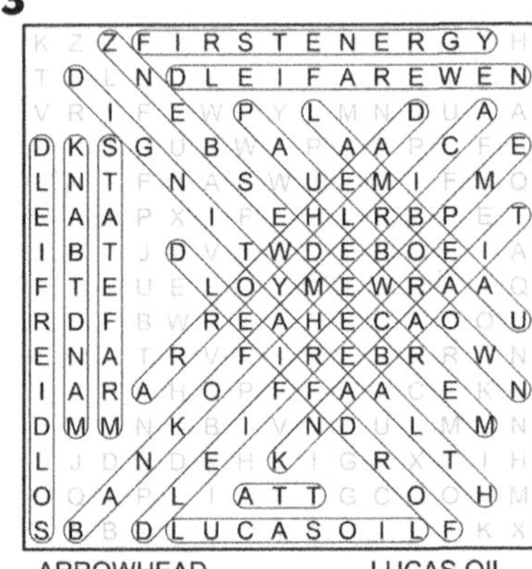

- ARROWHEAD
- AT&T
- BANK OF AMERICA
- DIGNITY HEALTH
- EMPOWER FIELD
- FIRST ENERGY
- FORD FIELD
- LAMBEAU
- LUCAS OIL
- M AND T BANK
- MERCEDES-BENZ
- NEW ERA FIELD
- PAUL BROWN
- SOLDIER FIELD
- STATE FARM
- TIAA BANK

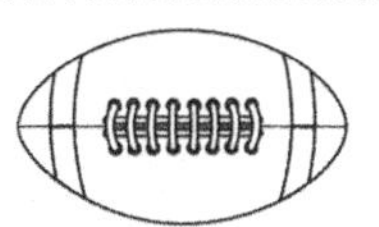

Answers

74

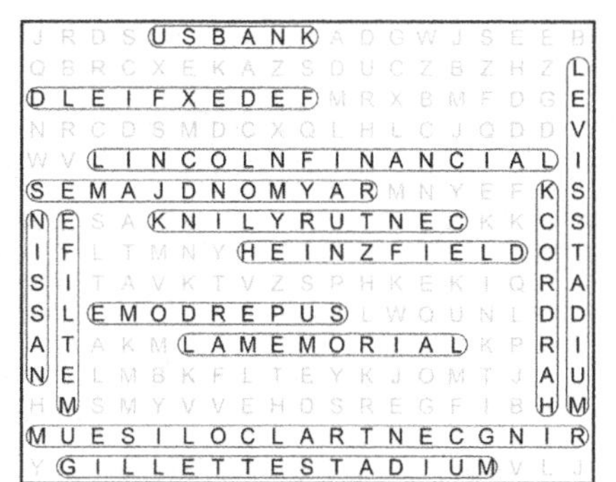

CENTURYLINK	LINCOLN FINANCIAL
FEDEX FIELD	METLIFE
GILLETTE STADIUM	NISSAN
HARD ROCK	RAYMOND JAMES
HEINZ FIELD	RINGCENTRAL COLISEUM
LA MEMORIAL	SUPERDOME
LEVI'S STADIUM	U.S. BANK

75

```
T K S K S R A C I Q A Z
A G J O G V Y N F O O D
I N L B D T V M Y W H F
L I S A R S D N E I R F
G K L A W V C E J F K C
A O P L V N U I A K G I
T O F Y I C C M N A O S
I C U B E R I H M C V U
N C N B E L G E A Z I M
G C R W Y E S J V I E P
Z A Q Z U D R V N N R R
B F M X J T R U C K S D
```

BARBECUE	GAMES
BEER	GRILL
CARS	LAWN CHAIR
COOKING	MUSIC
FAMILY	PARTY
FOOD	PICNIC
FRIENDS	TAILGATING
FUN	TRUCKS